NATHALIE DE MARCELLIS-WARIN
INGRID PEIGNIER

PERCEPTION DES RISQUES

AU QUÉBEC

BAROMÈTRE
CIRANO
2012

Perception des risques au Québec – Baromètre CIRANO 2012

Nathalie De Marcellis-Warin
Ingrid Peignier

Couverture : Cyclone Design
Mise en pages : Danielle Motard
Coordination éditoriale et production : Presses internationales Polytechnique

Pour connaître nos distributeurs et nos points de vente, veuillez consulter notre site Web à l'adresse suivante : www.pressespoly.ca

Courriel des Presses internationales Polytechnique : pip@polymtl.ca

Nous reconnaissons l'aide financière du gouvernement du Canada par l'entremise du Fonds du livre du Canada pour nos activités d'édition.

Gouvernement du Québec – Programme de crédit d'impôt pour l'édition de livres et aide financière de la Société de développement des entreprises culturelles du Québec (SODEC) pour l'ensemble du programme d'édition.

Dépôt légal : 2e trimestre 2012
ISBN 978-2-553-01638-7
Bibliothèque et Archives nationales du Québec
Bibliothèque et Archives Canada

Imprimé au Canada

REMERCIEMENTS

Nous tenons tout d'abord à remercier le Centre interuniversitaire de recherche en analyse des organisations (CIRANO) et l'École Polytechnique de Montréal pour leur support dans la réalisation de ce projet.

Nous tenons à remercier les fellows CIRANO, et plus particulièrement, Suzanne Bisaillon, Marc Blais, Marcel Boyer, Bryan Campbell, Louis Maheu, Claude Montmarquette, Bernard Sinclair-Desgagné, François Vaillancourt et Thierry Warin, ainsi que Joanne Castonguay, Jérôme Blanc et Pascal Chamberland pour leurs commentaires et les échanges fructueux pendant la phase de développement du questionnaire d'enquête. Leurs commentaires ont été très appréciés.

Nous souhaitons remercier Catherine Hart, professionnelle de recherche au CIRANO, pour son aide précieuse lors de l'élaboration du questionnaire d'enquête et la phase de validation, ainsi que Mohamed Fayçal Mahfouf, étudiant à la maîtrise à l'École Polytechnique Montréal.

Nous tenons aussi à remercier Carl St-Pierre, associé de recherche à l'École Polytechnique de Montréal et Nathalie Viennot-Briot, professionnelle de recherche au CIRANO, pour leur aide lors de la validation du questionnaire et des analyses statistiques et économétriques. Nos remerciements sont également adressés à Nathalie Bannier et Sylvie Barrette-Méthot pour leur précieuse relecture du manuscrit.

Nous souhaitons enfin remercier les personnes qui se sont prêtées au jeu du pré-test du questionnaire (chaque personne nous a accordé une entrevue et a participé au processus de validation des questionnaires) ainsi que celles qui ont répondu au questionnaire.

À propos des auteurs

Nathalie de Marcellis-Warin

Titulaire d'un doctorat en science de gestion (spécialisé en gestion des risques et assurance) de l'École Normale Supérieure de Cachan (France), Nathalie de Marcellis-Warin est professeure agrégée au département de mathématiques et de génie industriel de l'École Polytechnique de Montréal. Elle est vice-présidente des groupes Risque et Développement durable du Centre interuniversitaire de recherche en analyse des organisations (CIRANO). Elle est aussi membre associée du CIRRELT (Centre interuniversitaire de recherche sur les réseaux d'entreprises, la logistique et le transport) et du CIRST (Centre interuniversitaire de recherche sur la science et la technologie). Elle est par ailleurs présidente du réseau RISQ+H, réseau de sensibilisation et de partage d'expériences sur la gestion des risques, la sécurité et la qualité des soins dans les hôpitaux.

Ingrid Peignier

Ingénieure de l'École des Mines d'Alès (France) et titulaire d'une maîtrise (M.Sc.A.) en génie industriel, Ingrid Peignier est directrice de projets dans le groupe Risque au Centre interuniversitaire de recherche en analyse des organisations (CIRANO). Elle s'est spécialisée dans l'identification, l'évaluation et la gestion des risques industriels majeurs ainsi que dans la communication de ces risques.

TABLE DES MATIÈRES

Remerciements III

À propos des auteurs IV

Table des graphiques VII

Table des tableaux IX

Table des figures XI

Introduction 1

Décisions publiques et perception des risques au Québec 1

À propos de l'enquête 4

1 De la perception à l'acceptation du risque 7

Risque réel et risque perçu 7

Acceptabilité sociale 8

Sources d'information et amplification sociale du risque 11

2 Qu'est-ce qui préoccupe le plus la population au Québec aujourd'hui? 17

Projets et enjeux les plus préoccupants au niveau personnel 18

Projets et enjeux les plus préoccupants au niveau collectif 27

Comparaison des préoccupations personnelles et collectives 33

3 Projets et enjeux perçus comme les plus risqués au Québec 37

Niveau de risque perçu pour 30 projets/enjeux au Québec 38

Niveau de risque perçu par grande catégorie de risques 43

4 Niveau de confiance dans la gestion des projets et enjeux au Québec 51

Niveau de confiance accordée dans la gestion par le gouvernement de 30 projets/enjeux au Québec 52

Relation entre le niveau de risque perçu et la confiance dans le gouvernement 59

Perception du niveau d'utilité des structures pluralistes de concertation et d'évaluation de situations à risques 61

5 Sources d'information les plus utilisées par la population 67

Niveau d'utilisation des sources d'information 67

Influence de la source d'information utilisée sur le niveau de risque perçu et le niveau de confiance dans le gouvernement 70

Niveau de confiance dans les sources d'information 75

Comparaison du niveau d'utilisation et du niveau de confiance 77

6 Acceptabilité sociale de 30 projets et enjeux au Québec 81

Les projets perçus comme les moins socialement acceptables par la population 82

Est-ce que l'acceptabilité sociale dépend du niveau de risque perçu et/ou du niveau de confiance dans le gouvernement? 85

Les réactions de la population face à 2 grands projets au Québec : centrale nucléaire et campagne de vaccination 87

7 Analyse détaillée d'enjeux spécifiques au Québec 95

Introduction 95

Analyse n° 1 : l'engorgement dans les urgences et la difficulté d'accéder aux services de santé 98

Analyse n° 2 : la vaccination 105

Analyse n° 3 : l'état des ponts et viaducs 113

Analyse n° 4 : l'exploitation d'une centrale nucléaire 117

Analyse n° 5 : l'exploration pour du gaz de schiste 123

Analyse n° 6 : les projets en partenariat public-privé 129

Analyse n° 7 : les risques émergents (reliés aux nanotechnologies, génomique et OGM) 133

Conclusion et perspectives futures 137

Bibliographie 143

Annexes 147

Modalités de réalisation de l'enquête 147

Description de l'échantillon 154

TABLE DES GRAPHIQUES

1 Classement des catégories de risques les plus préoccupantes au niveau personnel 19

2 Préoccupations personnelles par catégorie d'âge 22

3 Préoccupations personnelles reliées aux risques économiques et financiers et aux risques reliés aux infrastructures de transport en fonction de la région d'habitation 24

4 Préoccupations personnelles selon la langue maternelle 26

5 Classement des catégories de risques les plus préoccupantes au niveau collectif 28

6 Préoccupations collectives par catégorie d'âge 30

7 Préoccupations collectives selon la langue maternelle 32

8 Comparaison des préoccupations personnelles et collectives 33

9 Perception moyenne du niveau de risque de 30 projets/enjeux au Québec (1/2) 41

10 Répartition des niveaux de risque perçu pour les 30 projets/enjeux au Québec (2/2) 42

11 Moyenne des perceptions du niveau de risque pour 9 grandes catégories de projets au Québec 46

12 Niveau de confiance dans la gestion par le gouvernement de 30 projets/enjeux au Québec (1/2) 54

13 Répartition des niveaux de confiance dans la gestion par le gouvernement de 30 projets/enjeux au Québec (2/2) 56

14 Confiance dans la gestion par le gouvernement par grande catégorie de projets au Québec 58

15 Comparaison entre la confiance dans la gestion par le gouvernement et le niveau de risque perçu des 30 projets/enjeux 60

16 Utilité d'une structure pluraliste de concertation et d'évaluation de situations à risques 61

17 Acteurs que le gouvernement devrait consulter dans la gestion des grands projets ou décisions publiques 63

18 Utilisation des sources d'information (médias) 68

19 Utilisation des sources d'information (personnes/organisations) 70

20 Niveau de confiance dans les sources d'information (médias) 76

21 Niveau de confiance dans les sources d'information (personnes/organisations) 77

22 Acceptabilité sociale de 15 projets/enjeux au Québec (1/2) 83

23 Répartition de l'acceptabilité sociale de 15 projets/enjeux au Québec (2/2) 84

24 Positionnement dans la matrice Risque/Confiance des 15 projets/enjeux pour lesquels le niveau d'acceptabilité a été coté 86

25 Réactions après l'annonce d'un projet de construction d'une centrale nucléaire 88

26 Réactions après l'annonce d'une campagne de vaccination obligatoire 90

TABLE DES TABLEAUX

1 Catégories de risques à l'étude 18

2 Liste des 30 projets/enjeux à l'étude 38

3 Correspondance entre les catégories de risques et les projets/enjeux à l'étude 44

4 Classement des catégories de risques perçues comme les plus risquées en moyenne 47

5 Classement des catégories de risques en fonction du niveau moyen de confiance accordée au gouvernement pour leur gestion 57

6 Proportion des acteurs que les Québécois désirent voir consulter par le gouvernement dans sa gestion des grands projets en fonction de leur vision de l'utilité d'une structure pluraliste 64

7 Proportion de chaque groupe d'âge utilisant beaucoup ou énormément les différentes sources d'information 69

8 Influence de la source d'information beaucoup ou énormément utilisée sur le niveau de risque perçu 72

9 Influence de la source d'information utilisée sur le niveau de confiance accordée au gouvernement 75

10 Liste des projets/enjeux retenus pour évaluer le niveau d'acceptabilité 82

11 Proportion des répondants ayant affirmé vouloir refuser le vaccin advenant une campagne obligatoire 91

12 Niveau moyen de risque perçu, niveau moyen de confiance et niveau moyen d'acceptabilité relativement à la vaccination en fonction du type de réaction vis-à-vis d'une campagne de vaccination obligatoire 110

13 Niveau moyen de risque perçu, niveau moyen de confiance et niveau moyen d'acceptabilité face aux centrales nucléaires en fonction du type de réaction vis-à-vis de la construction d'une nouvelle centrale nucléaire 120

14 Catégories de risques retenues 148

15 Projets et enjeux retenus 149

16 Nombre d'envois de questionnaire d'enquête par région et nombre de répondants par région 153

TABLE DES FIGURES

1 Résultats de l'analyse de type probit ordonné sur le niveau de confiance accordée au gouvernement pour sa gestion de l'engorgement des urgences dans les hôpitaux et des difficultés d'accès aux services de santé 101

2 Résultats de l'analyse de type probit ordonné sur le niveau de risque perçu pour l'engorgement des urgences dans les hôpitaux 103

3 Résultats de l'analyse de type probit ordonné sur le niveau de confiance accordée au gouvernement concernant la vaccination 106

4 Résultats de l'analyse de type probit ordonné sur le niveau de risque perçu relatif à la vaccination 108

5 Résultats de l'analyse de type probit ordonné sur le niveau de confiance accordée au gouvernement pour sa gestion de l'état des ponts et des viaducs 114

6 Résultats de l'analyse de type probit ordonné sur le niveau de risque perçu de l'état des ponts et des viaducs 115

7 Résultat de l'analyse de type probit sur le niveau d'acceptabilité pour l'exploitation d'une centrale nucléaire 119

8 Résultats de l'analyse de type probit ordonné sur le niveau de confiance dans le gouvernement pour la gestion de l'exploration pour du gaz de schiste 124

9 Résultats de l'analyse de type probit ordonné sur le niveau de risque perçu pour l'exploration pour du gaz de schiste 126

10 Résultats de l'analyse de type probit ordonné sur le niveau de confiance accordée au gouvernement pour sa gestion des PPP 130

11 Résultats de l'analyse de type probit ordonné sur le niveau de risque perçu des PPP 131

12 Résultats de l'analyse de type probit ordonné sur le fait d'avoir une opinion (quelle qu'elle soit) sur un niveau de confiance dans le gouvernement pour sa gestion des risques émergents (liés à l'utilisation des nanotechnologies, de la génomique et à la consommation d'OGM) 136

INTRODUCTION

Décisions publiques et perception des risques au Québec

Certaines décisions publiques, grands projets ou enjeux de société au Québec peuvent susciter des inquiétudes ou des craintes. Que l'on parle d'entreprendre la réfection de la centrale nucléaire de Gentilly-2, de développer l'industrie du gaz de schiste, de construire un nouveau pont ou encore, des revenus de retraite, de l'obésité, de l'accès aux services de santé, l'ensemble de ces projets ou enjeux préoccupent la population du Québec.

Un risque ne se réduit pas à sa probabilité d'occurrence ni à la gravité des dommages occasionnés. Ainsi, un risque « exceptionnel » peut être perçu comme très grand et ne pas être accepté. À l'inverse, un risque réel élevé peut être largement sous-estimé par la population et donc accepté. Pourquoi alors certains individus perçoivent des activités, substances, ou technologies plus risquées que d'autres individus? En fait, un risque est un construit social et de nombreux facteurs influencent sa perception et son acceptabilité. Il est alors important d'identifier les enjeux sociopolitiques et les facteurs susceptibles de créer des réactions fortes au sein de la population. Cette perception du risque par le public pourrait soit empêcher ou ralentir la planification ou l'exécution de grands projets, soit forcer à choisir une solution inférieure pour le projet, soit obliger la mise en place de certaines politiques publiques.

Pour identifier les facteurs susceptibles d'influencer la perception des risques et de créer des réactions fortes au sein de la population, nous avons effectué une enquête par questionnaire au Québec.

Cet ouvrage se concentre sur les résultats de l'enquête réalisée auprès d'un échantillon représentatif de la population du Québec (1130 répondants). Le Baromètre CIRANO 2012 permet de répondre aux questions que se posent tous les gestionnaires de grands projets, les décideurs politiques mais également la population :

- Qu'est ce qui préoccupe la population québécoise aujourd'hui?
- Quels sont les projets et enjeux perçus comme les plus risqués?
- Quel est le niveau de confiance accordée par la population au gouvernement pour sa gestion de 30 projets et enjeux spécifiques?
- Quels sont les projets du Québec perçus comme les moins acceptables par la population?
- Quelles sont les sources d'information les plus utilisées par la population? A-t-elle confiance en ces sources d'information?
- Comment réagirait la population à l'annonce, par exemple, de la construction d'une nouvelle centrale nucléaire?
- Quelles sont les caractéristiques sociodémographiques des personnes qui perçoivent tel ou tel projet comme très risqué?

Nous souhaitions couvrir de nombreux projets et enjeux, qu'ils soient reliés à des grands projets d'infrastructures ou de nouvelles industries, à l'environnement, à l'économie ou à la santé. Avec le large spectre de projets et enjeux abordés et la richesse des informations qui sont collectées, notre étude constitue une précieuse source d'information pour les gouvernements, autorités publiques, mais aussi pour toutes les entreprises ou associations concernées par les projets/enjeux/programmes étudiés. En outre, nous avons pour chaque répondant une quinzaine de données sociodémographiques, ce qui permet de pouvoir mieux comprendre leurs réponses. Cette enquête inédite au Québec tente ainsi d'identifier par diverses méthodes statistiques les facteurs déterminants à l'augmentation du niveau de risque perçu, à la diminution de la confiance dans le gouvernement et à la diminution de l'acceptabilité sociale.

Voici comment s'articule cet ouvrage.

Le **premier chapitre** présente brièvement la littérature entourant les différents concepts abordés, à savoir, la perception du risque, l'acceptabilité sociale et l'amplification sociale du risque.

Le **deuxième chapitre** identifie les projets et enjeux les plus préoccupants au Québec en prenant soin de faire la distinction entre les préoccupations au niveau individuel et au niveau collectif. Nous montrons aussi que les préoccupations au Québec peuvent être différentes en fonction de certaines caractéristiques sociodémographiques propres au répondant.

Le troisième chapitre présente les projets et enjeux perçus comme les plus risqués au Québec. Différents types de classement sont proposés : dans un premier temps, les 30 projets et enjeux sont classés en fonction de leur niveau de perception du risque, du plus risqué au moins risqué et dans un second temps, le classement est établi alors que les projets sont regroupés par grandes thématiques.

Le quatrième chapitre renseigne sur les niveaux de confiance que la population accorde au gouvernement dans la gestion des grands projets et enjeux au Québec. Sont abordées également dans ce chapitre, les structures pluralistes de concertation et d'évaluation des risques : comment sont-elles perçues par la population? Qui devrait siéger au sein de ces structures?

Le cinquième chapitre dresse un portrait des sources d'information les plus utilisées par la population. Le niveau de confiance dans les sources d'information est également analysé. Ce chapitre permet d'aller plus loin dans les analyses des réponses au questionnaire, en présentant des analyses complémentaires de l'influence des sources d'information sur le niveau de perception du risque ou encore sur le niveau de confiance dans le gouvernement.

Le sixième chapitre indique le niveau d'acceptabilité de différents enjeux et projets au Québec et présente les réactions de la population du Québec face à deux projets hypothétiques, la construction d'une nouvelle centrale nucléaire et une campagne de vaccination massive.

Le septième chapitre se tourne vers certains projets spécifiques au Québec, en apportant un éclairage plus complet. Sont ainsi détaillés les enjeux reliés au système de santé (engorgement dans les urgences et difficulté d'accès aux services de santé), le gaz de schiste, les infrastructures de transport, les partenariats public-privé, les risques émergents tels que les nanotechnologies, la génomique et les organismes génétiquement modifiés (OGM), et enfin les centrales nucléaires.

Une dernière partie tire les conclusions sur les déterminants de la perception du risque par les Québécois. Quelques pistes de réflexion vont être amenées pour mieux gérer les risques reliés aux perceptions du public lors de la mise en place de projets risqués ou lors de la prise de décisions publiques.

À propos de l'enquête

Cet ouvrage présente les réponses de Québécois qui ont été interrogés par internet du 22 au 27 juin 2011 par l'Institut de sondage Léger Marketing. Au total, 1130 personnes sélectionnées selon la méthode des quotas et des strates ont répondu. La répartition du recensement des âges, des sexes, des régions, de la langue et de la scolarité a été respectée dans l'échantillon. L'échantillon est de type aléatoire simple stratifié. La durée moyenne des entrevues a été de 15 min 43 secondes. Les répondants étaient âgés de 18 ans et plus et provenaient de toutes les régions administratives du Québec (de façon proportionnelle). Soulignons que la marge d'erreur pour un sondage de 1000 répondants est de +/-3,1 %.

Dans la suite du rapport, nous utiliserons le terme « Les Québécois » en référence aux résultats puisque les données ont été pondérées (âge, sexe, langue, région, scolarité) de façon à s'assurer de la représentativité des résultats pour tout le Québec. Pour pondérer, Léger Marketing utilise toujours l'information la plus récente publiée par Statistiques Canada, donc les données du recensement de 2006.

1

DE LA PERCEPTION À L'ACCEPTATION DU RISQUE

De la perception à l'acceptation du risque

Risque réel et risque perçu

Les perceptions du risque sont des représentations sociales, culturellement déterminées, variables selon les sociétés et la place de chacun au sein de celles-ci. Le risque n'est alors jamais perçu de la même manière dans le temps, dans l'espace ou par un ensemble d'individus (Meur-Férec, 2006). En effet, le risque perçu subjectivement par un sujet peut être différent du risque objectif (sur ou sous estimation du risque), voire le risque peut ne pas être perçu du tout (Kouabenan, Cadet, Hermand, & Munoz-Sastre, 2006).

De nombreux travaux ont été effectués sur les éléments psychologiques influençant la perception des risques (Slovic, Fischhoff, & Lichtenstein, 1982; Tversky & Kahneman, 1981). Ils ont montré que les individus fondent leur jugement sur leur expérience vécue, leurs habitudes acquises, ou encore sur les traditions culturelles de leurs divers groupes d'appartenance. La perception des risques varie selon un grand nombre de facteurs liés soit au risque lui-même, soit aux caractéristiques de la personne et à son histoire personnelle, soit à la culture et aux valeurs du milieu social ou organisationnel, etc. (Kouabenan, *et al.*, 2006). Selon Breysse (2009), les facteurs qui influencent le plus la perception individuelle sont le caractère effrayant de la menace (d'autant plus effrayante qu'elle est difficile à contrôler, catastrophique et difficile à prévenir), le caractère volontaire ou non de l'exposition et enfin le degré de familiarité du risque.

Il est vrai que tout projet ou enjeu comporte des risques. On distingue deux types de projets risqués en fonction du contexte : ceux qui sont perçus comme intrinsèquement risqués car ils génèrent des risques et ceux dont la gestion et le mode de gouvernance utilisés les rendent risqués. Néanmoins, la présence de risque ne doit pas faire en sorte que l'on abandonne tous les projets risqués. Une évaluation économique doit être faite pour mesurer à la fois les risques et les bénéfices.

Au cours des quarante dernières années, le Québec a connu son lot de projets qui ont été cibles de critiques virulentes à cause de leurs dépassements de coûts, de l'absence de marché pour les rentabiliser, de leur performance technique ou encore de leurs impacts négatifs ou de leurs risques (Lareau, Castonguay, Miller, & Roy, 2006). Dans les dernières années, plusieurs grands projets publics ont captivé l'attention des médias et du public. Pensons à la réaction publique à l'exploitation des gaz de schiste dans la Vallée du St-Laurent qui a mené à un moratoire ou encore à l'abandon de l'initiative du ticket modérateur en santé après une forte opposition du public. On peut aussi évoquer le cas du projet du Mont-Orford, qui a avorté alors que certains avaient estimé des retombées positives à ce projet pour la région des Cantons de l'Est. Il existe des projets qui, à travers une campagne de communication réussie, ont suscité un appui du public, tel le projet du pont de l'Autoroute 25 entre Montréal et Laval, le premier projet en vrai partenariat public-privé à voir le jour au Québec. Il en est de même par exemple de la campagne de vaccination massive contre la grippe AH1N1 en 2009 au cours de laquelle le vaccin a été administré à plus de la moitié de la population, soit environ 4,4 millions de personnes.

En plus des risques parfois inhérents au projet, celui-ci peut être remis en question par des groupes de pression, contesté par des citoyens qui ne veulent pas en subir les impacts, balloté au gré des changements de gouvernement, ou encore, mis sous les feux de la rampe par la presse.

Ainsi, tout gestionnaire de projets va être en présence d'une distorsion entre les risques réels et les risques perçus d'un projet, distorsion qu'il va nécessairement devoir prendre en compte dans sa gestion.

Acceptabilité sociale

Il est important d'identifier les facteurs susceptibles de créer des réactions fortes au sein de la population qui soit empêcheraient ou ralentiraient certains grands projets, soit obligeraient la mise en place de certaines politiques publiques. Dans ce contexte, l'évaluation des perceptions des risques devrait être une étape imposée de l'évaluation des risques du projet. Il s'agit de comprendre les réactions du public face à une décision ou un grand projet dans un contexte de risque, de façon à gérer les conséquences des crises ou à anticiper les résistances à des projets sensibles.

Des travaux de recherche effectués au CIRANO sur la *Gouvernance des grands projets d'infrastructures publiques* ont montré que des enjeux sociopolitiques peuvent venir perturber le déroulement d'un grand projet dans sa planification ou son exécution (Castonguay, Lareau, & Aubert, 2007). Ces enjeux peuvent susciter trois types d'erreur (Lareau, *et al.*, 2006) :

- **Le risque qu'un projet ne puisse voir le jour (erreur de type 1)**, soit à cause d'un changement de gouvernement ou encore de l'opposition des parties affectées et de groupes de pression, alors que le ratio coûts/bénéfices réel a été avalisé.
- **Le risque qu'un projet qui n'aurait pas dû être réalisé voit le jour (erreur de type 2)** et soit promu par opportunisme politique ou encouragé par des groupes de pression, sans que le ratio coûts/bénéfices réel du projet n'ait été avalisé par les experts.
- Enfin, **le risque qu'un projet prenne la forme d'une solution inférieure**, parce que le projet a été teinté par des événements ou par des pressions de la part des différents détenteurs d'intérêts qui ont mené à des compromis pas toujours judicieux. Un projet peut voir sa valeur économique diminuer à cause, par exemple, de délais dans la prise de décision, souvent suivis d'une accélération subite pour combler les retards encourus, ou d'interventions politiques ou de mouvements sociaux. Ces facteurs ont généralement pour conséquence d'augmenter les coûts des projets et le non-respect des échéanciers (Magnussen, 2004).

Afin d'éviter ces effets, la gestion de projet doit prendre en compte les enjeux sociopolitiques associés aux projets en plus des facteurs traditionnels comme les enjeux budgétaires et techniques. D'autant plus que chaque grande décision publique peut engendrer une perte de confiance de la population envers le gouvernement ou l'autorité publique. Le problème étant que la perte de confiance pour une décision peut perdurer et faire avorter d'autres grands projets publics par effet boule de neige.

Pennanguer (2005) met d'ailleurs en évidence les phases de construction des comportements des individus et distingue :

- La phase de **perception** vers la construction de la réalité de l'individu avec l'intervention de la sensibilité de l'acteur, l'échelle de temps et d'espace dans laquelle l'individu s'inscrit et son degré de connaissance et d'information. Ces perceptions deviennent alors synonymes de vérité pour l'individu.

- La phase de réflexion amène l'individu à définir sa position au travers de différents filtres : les ambitions, les craintes et la tolérance (degré d'acceptabilité et capacité d'écoute).
- La phase de réaction fait intervenir la conviction et le pouvoir de l'individu et détermine la robustesse de la position de l'acteur et son comportement dans l'espace public de gestion.

Un risque acceptable est donc un risque dont les caractéristiques (fréquence ou intensité du danger, gravité, niveau de perte, conséquences sociales, économiques, politiques, culturelles, techniques et environnementales) sont considérées comme acceptables (et donc prêtes à être assumées) par l'individu, la communauté ou la société qui y sont soumis (Breysse, 2009).

L'intérêt à l'égard d'un projet peut provenir des retombées économiques dont espère bénéficier une population donnée. L'opposition peut découler, par exemple, des impacts réels ou perçus d'un projet sur l'environnement ou sur une population (Lareau, *et al.*, 2006). L'intérêt ou l'opposition peuvent s'exprimer par des prises de position publiques, des contestations dans le cadre d'audiences publiques ou autres forums, des recours légaux ou des manifestations. Ainsi, les perceptions du public sur les risques et les bénéfices d'un projet et sa volonté d'agir pour ou contre un projet peuvent jouer un rôle important dans la réalisation de celui-ci. En définitive, le danger et la perception du danger ou du projet en tant que tel, la confiance dans l'action publique et la crédibilité de l'information sont trois points intimement liés qui contribuent à la formation des opinions sur les risques et finalement à l'acceptabilité ou non d'un projet.

Fischhoff, Slovic, LichtenStein, Read et Combs (1978) précisent qu'à lui seul le fait de voir des bénéfices à un risque n'en fait pas d'office un risque acceptable. En effet, il existe d'autres caractéristiques telles que le fait que le risque soit pris volontairement, qu'il soit familier, que l'on ait confiance en ceux qui le gèrent, qu'il y ait une perception de contrôle, de connaissance et avec des effets immédiats (Fischhoff, *et al.*, 1978; Lowrance, 1976; Slovic, 1987). L'ensemble de ces facteurs sont corrélés et peuvent être réduits à deux dimensions selon Fischhoff (1978). La première dimension qui discrimine les activités de hautes et de basses technologies (la haute technologie étant caractérisée par des activités nouvelles, involontaires et peu connues, le plus souvent avec des conséquences retardées (à long terme)). La deuxième dimension reflète la certitude de mortalité advenant que le risque se matérialise. D'après Fischhoff (1978), la prise en compte de ces deux facteurs ainsi que la perception des bénéfices par le public devraient rendre le niveau d'acceptabilité du risque plus prévisible pour les décideurs publics. Il est important de noter toutefois que les préoccupations du public, des groupes de pression et des parties prenantes peuvent être très différentes de celles des experts étant donné leur compréhension de la nature et de la magnitude du risque (du fait peut-être qu'ils détiennent moins d'information) mais aussi de leur perception d'un risque acceptable. Leur intérêt découle des incertitudes et des inquiétudes, fondées ou non, qu'ils ont par rapport à la décision.

La question de l'acceptabilité des risques repose sur des règles de gouvernance à élaborer dans lesquelles la participation et la consultation des individus sont une des composantes à part entière. La vision du risque évolue avec l'émergence de diverses crises et la reconnaissance des incertitudes scientifiques. Les gestionnaires de risques sont donc amenés à amplifier leur stratégie de communication et de dialogue avec les populations concernées. Les enquêtes de perception des risques, telles que celle présentée dans cet ouvrage, permettent d'identifier des manques potentiels au niveau des connaissances et donc au niveau de cette communication. De la réalité à la représentation de cette réalité par l'individu, il existe des variations résultant d'une sélection de l'information et d'un accès différencié à celle-ci. Ainsi, l'individu construit sa réalité qui a valeur de vérité (Pennanguer, 2005).

Sources d'information et amplification sociale du risque

Les gestionnaires de risques doivent de plus en plus tenir compte de l'attitude de la population envers les risques parce que la population elle-même est de plus en plus avertie.

Comme l'indique l'Institut national de santé publique du Québec (INSPQ, 2003) dans son cadre de référence en gestion des risques, les gestionnaires de risques doivent tenir compte des changements de la perception sociale des risques qui tend à s'alourdir dans le domaine de la santé, surtout après les crises de l'eau contaminée à Walkerton (Ontario) et de la vache folle, sans parler des crises plus récentes dans le domaine de la sécurité alimentaire (listeria, e. coli, etc.) et des maladies infectieuses (virus H1N1). Certaines crises hautement médiatisées semblent avoir un impact majeur sur la perception des risques. D'ailleurs, une étude de Siegrist et Visschers (2011) présentant les résultats de deux sondages longitudinaux auprès d'un échantillon représentatif de la population suisse avant (automne 2010) et après l'accident à la centrale Fukushima au Japon (fin mars 2011), montre que la confiance dans les autorités publiques, l'acceptabilité et la perception de bénéfices à l'énergie nucléaire ont été significativement plus faibles en 2011 qu'en 2010 et que les perceptions du risque relié au nucléaire ont été significativement plus élevées.

Les opinions du public sont donc formées à partir des informations qui arrivent. Quelles sont ces sources d'information? Quelle est l'importance de la confiance dans ces sources d'information sur la perception des risques? Quel est l'influence des médias sur le niveau de perception des risques? Autant de questions qu'il est important de traiter lorsque l'on aborde la problématique de la perception des risques.

De plus en plus, la communication devient un instrument de gestion des risques. Lorsqu'elle encourage l'adoption de comportements sécuritaires ou l'acquisition de saines habitudes de vie, lorsqu'elle expose, partage ou promeut l'évaluation de risques ou l'examen de vulnérabilités, lorsqu'elle propage des pratiques de prévention ou d'atténuation de conséquences dommageables, la communication n'agit pas en dernier ressort. Bien au contraire, elle participe intimement aux processus de planification et de gouvernance visant, au sein des collectivités, à réduire, à contenir ou à apprivoiser les risques pressentis.

Les sources d'information utilisées par le public pour s'informer des risques sont nombreuses : la télévision, la radio, l'Internet, la presse écrite, les réseaux sociaux, les amis, la famille, etc. Évidemment, les médias ont un rôle non négligeable dans la manière dont nous percevons les risques. En effet, la couverture médiatique, que ce soit en termes de quantité d'information, de durée de l'information dans le temps, ou encore en termes de caractéristiques d'images montrées, va avoir un impact sur notre façon de percevoir la sévérité d'un événement. Par ailleurs, on parle de plus en plus de catastrophes naturelles ou autres ayant lieu à l'étranger, les médias permettant aussi de nous rapprocher des lieux et donc des catastrophes. Cependant, le lien entre la couverture médiatique et la perception des risques est loin d'être confirmé. Il faut aussi considérer d'autres sources d'information informelles (rumeurs, contacts personnels) et moins directes (drames de télévision et cinéma) (Sjöberg, 2001). Néanmoins, les médias peuvent être considérés comme des amplificateurs (ou dans certains cas des « réducteurs ») du niveau de perception du risque. Ils reçoivent et interprètent eux-mêmes l'information sur le risque, en fonction de leurs propres perceptions et influencent la perception du public (Hergon, G. Moutel, L. Bellier, C. Hervé, & Rouger, 2004).

L'amplification sociale du risque est un concept important élaboré par Kasperson (1988). Elle consiste à considérer les personnes, les groupes ou les organisations qui recueillent de l'information sur le risque et la transmettent, comme des « stations », à la fois émettrices et réceptrices. Il s'agit notamment, des scientifiques, des médias, des groupes de pression, des organismes publics. L'interprétation du risque fournie par ces relais donne des signaux sur sa gravité, créant en quelque sorte une amplification. Certains mécanismes vont amplifier le risque mais d'autres peuvent l'atténuer (Hergon, *et al.*, 2004).

Les mécanismes d'amplification sociale du risque qui vont accentuer son caractère mémorable et stimuler l'imaginaire, et par conséquent sa perception, sont (Hergon, *et al.*, 2004) :

- la couverture médiatique;
- l'existence de groupe de pression;
- la symbolique de l'accident.

La couverture médiatique, le volume de l'information et le degré de dramatisation de l'information jouent un rôle important dans le phénomène d'amplification. Une information continue, en boucle concernant un événement tragique, surtout s'il est subi, s'il a un potentiel catastrophique et si la cause est mal connue, aura un impact fort sur la population. La société aura alors « de bonnes raisons » de s'inquiéter.

On peut illustrer ce concept d'amplification sociale du risque en faisant référence par exemple aux conséquences sur la consommation des peurs alimentaires suscitées par la perception des risques liés à la consommation de certains aliments (concombres espagnols en juillet 2011, crise de la listériose associée aux fromages québécois en août 2008) ou de certaines viandes; ou encore, des effets des attentats du 11 septembre 2001 sur le transport aérien, ou enfin, des réactions vives à l'égard des installations chimiques situées à proximité des habitations suite à l'accident de l'usine AZF à Toulouse (septembre 2001).

A contrario, il existe des mécanismes qui vont atténuer le risque tels que la valorisation des bénéfices ou les croyances. Ainsi, à un moment donné les bénéfices d'une activité vont être considérés comme supérieurs aux risques qu'elle génère (Hergon, *et al.*, 2004).

Pour conclure, pour concevoir une stratégie de communication pour les décisions publiques et les grands projets, il faut prendre en compte beaucoup plus que les résultats d'une analyse risques/bénéfices. Afin de considérer à la fois les informations scientifiques et les réelles préoccupations de la population, une démarche d'analyse de la perception des risques doit être ajoutée aux procédures classiques d'évaluation de risque et de communication (Debia & Zayed, 2003). C'est pourquoi les résultats présentés dans ce livre prennent toute leur importance.

2

QU'EST-CE QUI PRÉOCCUPE LE PLUS LA POPULATION AU QUÉBEC AUJOURD'HUI?

2 Qu'est-ce qui préoccupe le plus la population au Québec aujourd'hui?

10 catégories de risques sont à l'étude tel que le montre le tableau ci-dessous. Les catégories choisies sont exhaustives en ce sens qu'elles englobent les risques reliés aux grands projets de construction, au développement de nouvelles industries ou industries à risque, à la gestion de la santé des Québécois, et aux décisions reliées à la gestion environnementale. Nous avons fait le choix de nous concentrer sur les risques reliés à la gestion de grands projets/enjeux et sur les risques où le gouvernement a ou pourrait avoir un impact sur leur gestion. Les répondants devaient choisir les deux catégories de risques les plus préoccupantes au niveau personnel et ensuite les deux plus préoccupantes au niveau collectif (pour le Québec en général).

Catégories de risques	Exemples associés
Risques naturels	Glissement de terrain, inondation, séisme, incendie de forêt, canicule…
Risques environnementaux et ressources énergétiques	Pollution atmosphérique, pollution des lacs (algues bleues), changement climatique, exploitation gazière et minière…
Risques technologiques	Usine chimique, centrale nucléaire, transport de matières dangereuses, enfouissement des déchets, lignes à haute tension...
Risques reliés aux innovations technologiques	OGM, nanotechnologies, génomique, virus informatique, vol d'identité...
Risques reliés à la santé publique	Dépendance au tabac, drogue, obésité, malbouffe, vaccination…
Risques reliés au système de santé	Infections dans les hôpitaux, engorgement des urgences, listes d'attente…

Catégories de risques	Exemples associés
Risques reliés à la sécurité	Vol, gang de rue, crime, attentat terroriste...
Risques économiques et financiers	Coût de la vie, prix de l'essence, crise du logement, chômage, retraite...
Risques reliés aux infrastructures de transport	Vieillissement des ponts/viaducs et routes, vieillissement du métro...
Risques reliés à la gestion des projets publics	Partenariat public-privé, corruption...

Tableau 1 Catégories de risques à l'étude

Projets et enjeux les plus préoccupants au niveau personnel

Les risques reliés au système de santé (ex. : infections dans les hôpitaux, engorgement des urgences, listes d'attente...) et les risques économiques et financiers (ex. : coût de la vie, prix de l'essence, crise du logement, chômage, retraite...) sont largement en tête des préoccupations personnelles des Québécois. En effet, 50 % des Québécois sont préoccupés par les risques reliés au système de santé et 47 % par les risques économiques et financiers.

Les 3 catégories de risques les plus préoccupantes au niveau personnel :

- *Risques reliés au système de santé*
- *Risques économiques et financiers*
- *Risques environnementaux et ressources énergétiques*

Viennent ensuite parmi les préoccupations personnelles des Québécois, les risques environnementaux (22,5 %) (ex. : pollution atmosphérique, pollution des lacs (algues bleues), changement climatique, exploitation gazière et minière) et les risques reliés à la santé publique (18 %) (ex. : dépendances au tabac, drogue, obésité, malbouffe, vaccination). Suivent avec environ 12 % des réponses, les risques reliés aux innovations technologiques (ex : OGM, nanotechno logies, génomique, virus informatique, vol d'identité....), les risques reliés aux infrastructures de transport (ex. : vieillissement des ponts/viaducs et routes, vieillissement du métro...) et les risques reliés à la sécurité (ex. : vol, gang de rue, crime, attentat terroriste...). Enfin viennent en dernier les risques naturels (ex. : glissement de terrain, inondation, séisme, incendies de forêt, canicule...), les risques technologiques (ex. : usine chimique, centrale nucléaire, transport de matières dangereuses, enfouissement des déchets, lignes à haute tension...) et les risques reliés à la gestion des projets publics (ex : partenariat public-privé, corruption...), qui sont loin de ceux précédemment cités avec 10 % ou moins de réponses.

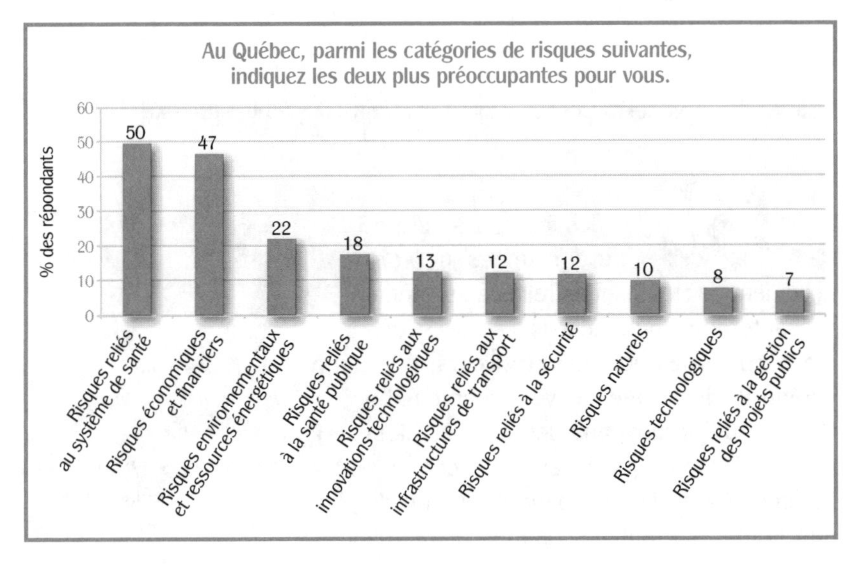

Graphique 1 Classement des catégories de risques les plus préoccupantes au niveau personnel

On constate que ces chiffres sont en accord avec une étude de la Banque Royale (2011) qui affirmait que le Québec est la région au Canada dans laquelle les résidents croient le moins que leur situation financière personnelle s'améliorera au cours de la prochaine année (36 %). Les résidents de l'Alberta et de la Saskatchewan et du Manitoba, quant à eux, sont ceux qui croient le plus que leur situation financière personnelle s'améliorera au cours de la prochaine année (47 et 41 pour cent, respectivement). Globalement, la proportion de Canadiens qui croient que leur situation financière personnelle s'améliorera au cours de la prochaine année est de 39 %.

Les préoccupations peuvent être différentes en fonction de certaines caractéristiques sociodémographiques propres au répondant : selon le sexe, selon l'âge, la région et la langue maternelle. Par exemple, les répondants qui travaillent considèrent plus souvent les risques économiques et financiers comme préoccupants pour eux de façon significative (au seuil de confiance de p = 0,004) que ceux qui ne travaillent pas. Ne sont présentés ici que les résultats statistiquement significatifs les plus intéressants, issus de tests statistiques (Tests de Student) réalisés pour comparer les moyennes des réponses à la question sur les préoccupations personnelles pour différents groupes à l'étude[1].

Des préoccupations personnelles différentes selon le sexe

59 % des femmes se disent préoccupées personnellement par les risques reliés au système de santé alors que c'est le cas de seulement 40 % des hommes. D'ailleurs, cette catégorie de risque arrive largement en tête des préoccupations des femmes alors qu'elle n'occupe que la 2e place chez les hommes (la 1re préoccupation personnelle des hommes étant les risques économiques et financiers pour 48 % d'entre eux en moyenne).

Les femmes sont plus préoccupées que les hommes au niveau personnel par les risques reliés au système de santé.

1. Un résultat est dit statistiquement significatif lorsqu'il est improbable qu'il puisse être obtenu par un simple hasard. Habituellement, on utilise un seuil de probabilité p de 0,001 à 0,05, ce qui signifie que le résultat observé a moins de 5 % de chances d'être obtenu par hasard. Il est donc jugé significatif. Par opposition, un résultat non significatif est un résultat qui a probablement (à plus de 5 % de chances) été obtenu par hasard. Par exemple, on désire savoir par exemple si les différences observées dans les préoccupations personnelles entre les hommes et les femmes sont statistiquement significatives, c'est-à-dire, que les différences entre les réponses des hommes et des femmes ne sont pas dues au hasard. Les éléments significatifs sont habituellement indiqués à l'aide d'étoiles : plus l'élément est significatif, plus le nombre d'étoiles sur le p est élevé.

À l'opposé, en dernier des préoccupations personnelles des femmes se retrouvent les risques reliés à la gestion de projets publics (3 % des femmes seulement), alors que cet aspect préoccupe 11 % des hommes, occupant l'avant-dernière place du classement. Ce qui préoccupe le moins personnellement les hommes sont les risques technologiques (comme par exemple les usines chimiques, les centrales nucléaires, le transport de matières dangereuses, l'enfouissement des déchets ou encore les lignes à haute tension...).

Des préoccupations personnelles différentes selon l'âge

L'âge est une variable sociodémographique qui a une grande influence sur le type de préoccupations personnelles. Voici un graphique qui illustre les principales différences pour les préoccupations personnelles. Le pourcentage indiqué dans le graphique représente le pourcentage de répondants par catégorie d'âge qui se dit préoccupé au niveau personnel par la catégorie de risque.

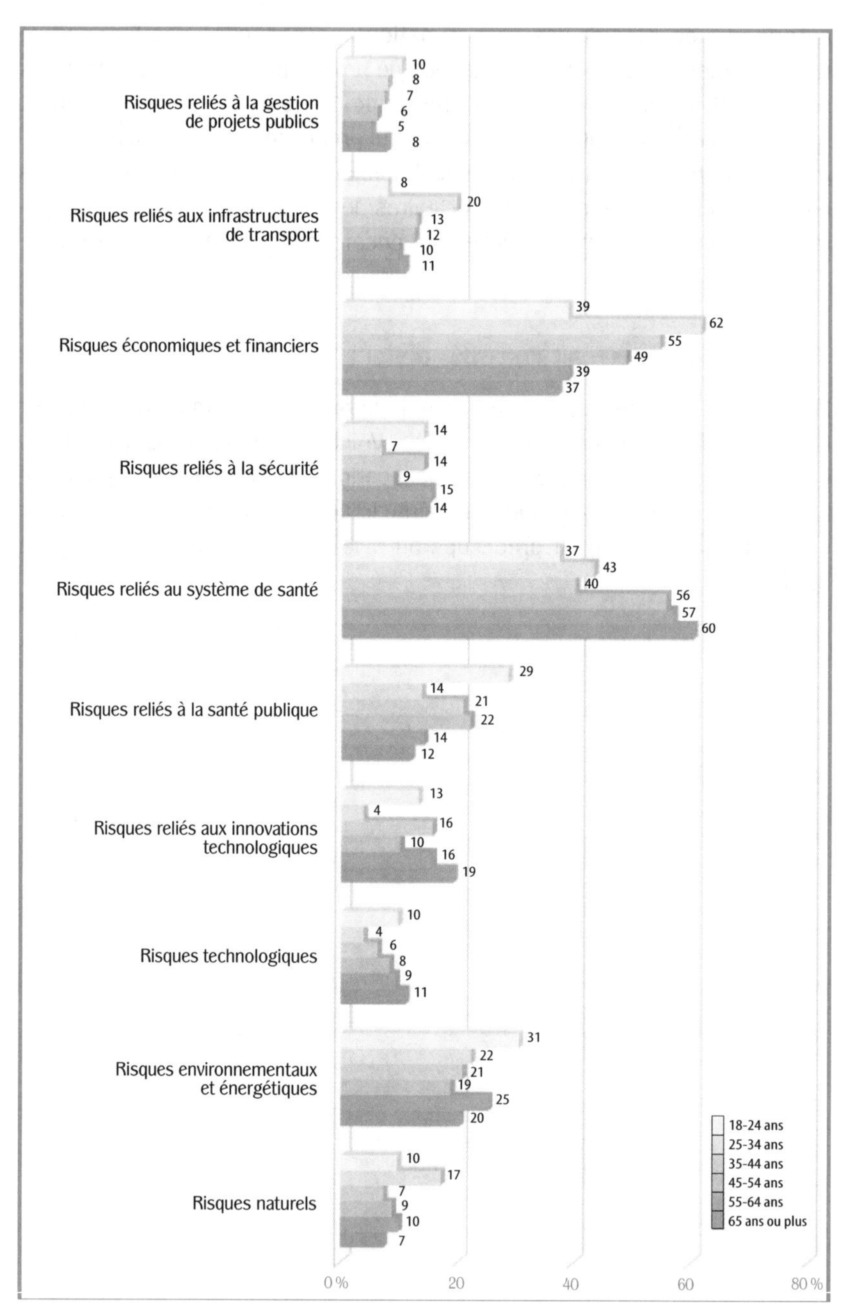

Graphique 2 Préoccupations personnelles par catégorie d'âge

Quelques résultats significatifs :

- Les 25-34 ans sont les plus nombreux (20 %) de façon significative à être personnellement préoccupés par les risques reliés aux infrastructures de transport.
- Les 25-34 ans et les 35-44 ans sont les deux catégories d'âge significativement les plus nombreuses (respectivement 62 % et 55 %) à être personnellement préoccupées par les risques économiques et financiers.
- Les 45 ans et + sont significativement les plus nombreux à être personnellement préoccupés par les risques reliés au système de santé. Rappelons que les risques reliés au système de santé correspondent aux risques reliés aux infections dans les hôpitaux, à l'engorgement des urgences, aux listes d'attentes, etc.

Les 45 ans et plus sont les plus personnellement préoccupés par les risques reliés au système de santé.

- Les 18-24 ans sont significativement plus nombreux (29 %) à être personnellement préoccupés par les risques reliés à la santé publique que les 25-34 ans (14 % avec $p = 0,000$), que les 55-64 ans (14 % avec $p = 0,001$) et que les 65 ans et + (12 % avec $p = 0,000$). Rappelons que nous entendons par risques reliés à la santé publique, les risques reliés aux dépendances au tabac, aux drogues, à l'obésité, à la malbouffe ou encore à la vaccination.
- Les 25-34 ans sont les moins nombreux (4 %) à être personnellement préoccupés par les risques d'innovation technologiques de façon statistiquement significative.
- Les 25-34 ans sont les plus nombreux (17 %) à être personnellement préoccupés par les risques naturels de façon statistiquement significative.

Des préoccupations personnelles différentes selon la région

Aux fins du sondage, les 16 régions administratives du Québec ont été regroupées en trois grandes régions : la région métropolitaine de recensement (RMR) de Montréal[2], la région métropolitaine de recensement (RMR) de Québec[3], et finalement les autres régions.

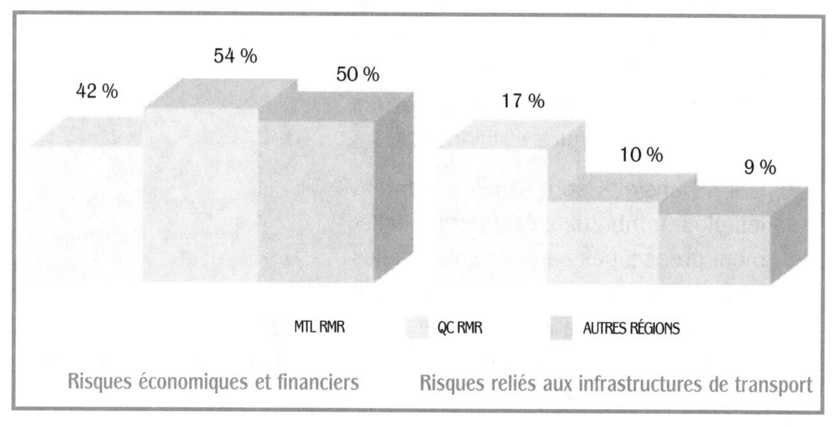

Graphique 3 Préoccupations personnelles reliées aux risques économiques et financiers et aux risques reliés aux infrastructures de transport en fonction de la région d'habitation

Les personnes résidant dans la région métropolitaine de recensement de Montréal sont les moins nombreuses (42 %) à être personnellement préoccupées par les risques économiques et financiers de façon statistiquement significative.

2. Se déployant sur plus de 4 000 kilomètres carrés, la région métropolitaine de recensement (RMR) de Montréal regroupe cinq régions administratives dans leur totalité (Montréal et Laval) ou en partie (Montérégie, Laurentides et Lanaudière). Située dans la vallée du Saint-Laurent, la RMR de Montréal s'étend de la municipalité de Saint-Jérôme au nord jusqu'aux limites des MRC de Roussillon et de La Vallée-du-Richelieu au sud, et de Vaudreuil-Soulanges à l'ouest jusqu'à Lavaltrie à l'est.
3. La RMR de Québec est la 2e plus importante au Québec en termes de population. Elle regroupe 44 municipalités locales et 1 territoire amérindien situés dans 2 régions administratives (Québec et Chaudière-Appalaches).

Tel que l'on pouvait le prévoir compte tenu des problèmes avec les ponts Champlain et Mercier, les personnes résidant dans la région métropolitaine de recensement de Montréal sont significativement plus nombreuses (17 %) à être personnellement préoccupées par les risques reliés aux infrastructures de transport que les habitants des autres régions.

Les HABITANTS DE MONTRÉAL sont les plus personnellement préoccupés par les risques reliés aux infrastructures de transport.

Des préoccupations personnelles différentes selon la langue maternelle

Trois langues maternelles ont été retenues, à savoir le français, l'anglais ou une autre langue. Dans la suite du livre, on utilisera le terme « allophone » pour parler des répondants ayant une langue maternelle différente du français ou de l'anglais. La langue parlée est une variable sociodémographique qui a une grande influence sur le type de préoccupations personnelles. Voici un graphique qui illustre les principales différences pour les préoccupations personnelles. Le pourcentage indiqué dans le graphique représente le pourcentage de répondants en fonction de leur langue maternelle qui se dit préoccupé au niveau personnel par la catégorie de risque.

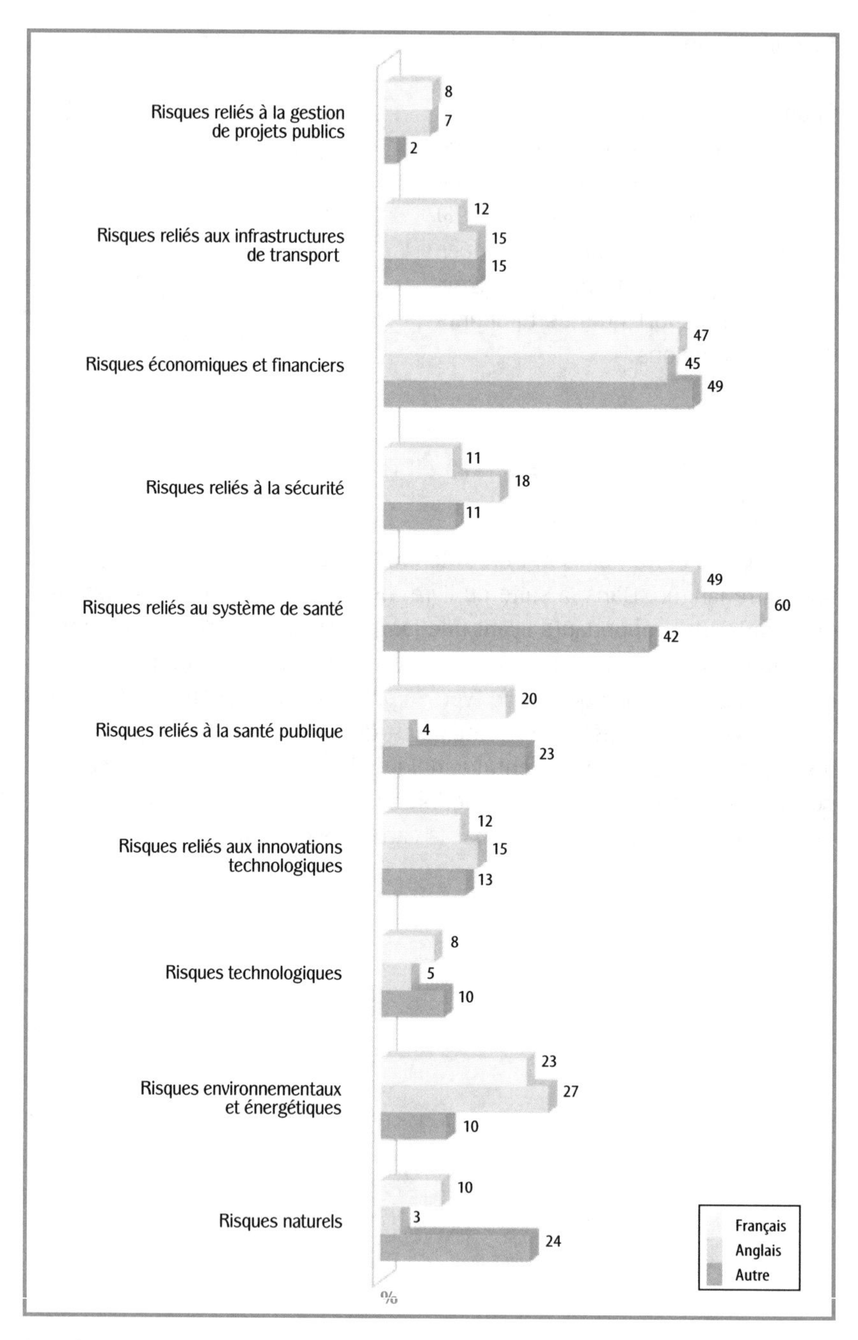

Graphique 4 Préoccupations personnelles selon la langue maternelle

Quelques résultats significatifs :

- Les anglophones sont plus personnellement préoccupés (18 %) par les risques reliés à la sécurité que les francophones (11 %) de façon significative.
- Les anglophones sont les moins nombreux (4 %) de façon très significative à être personnellement préoccupés par les risques reliés à la santé publique.
- À l'inverse, les anglophones sont les plus nombreux (60 %) de façon très significative à être personnellement préoccupés par les risques reliés au système de santé.

> *Les ANGLOPHONES sont les moins préoccupés personnellement par les risques naturels et les risques à la santé publique mais les plus préoccupés par le système de santé et les risques reliés à la sécurité.*

- Les allophones sont les moins nombreux (10 %) de façon significative à être personnellement préoccupés par les risques environnementaux et les ressources énergétiques.
- Les allophones sont les plus nombreux (24 %) à être personnellement préoccupés par les risques naturels. À l'opposé, les anglophones sont les moins nombreux de façon significative (3 %) à être personnellement préoccupés par les risques naturels.

Projets et enjeux les plus préoccupants au niveau collectif

Intéressons nous maintenant aux préoccupations au niveau collectif. Lorsque l'on examine les données de l'enquête sur les préoccupations au niveau collectif (pour la société québécoise en général), on s'aperçoit que le classement change quelque peu. En effet, trois grandes catégories se partagent le peloton de tête, à savoir les risques reliés aux infrastructures (37 %), les risques reliés au système de santé (34,7 %) et les risques environnementaux (32,6 %). Viennent ensuite à hauteur de 20 % environ, les risques économiques et financiers et les risques reliés à la gestion des projets publics, puis les autres catégories (risques naturels, risques reliés à la santé publique, risques technologiques) avec 12 à 14 % des réponses. Enfin, en dernier, on retrouve les risques reliés à la sécurité (9,7 %) et les risques reliés à l'innovation (4,5 %). Au niveau personnel, les risques reliés aux infrastructures de transport ne sortaient qu'au 6e rang des préoccupations et les risques économiques et financiers apparaissaient au 2e rang.

Les 3 catégories de risques les plus préoccupantes au niveau collectif :

- *Risques reliés aux infrastructures de transport,*
- *Risques reliés au système de santé,*
- *Risques environnementaux et ressources énergétiques.*

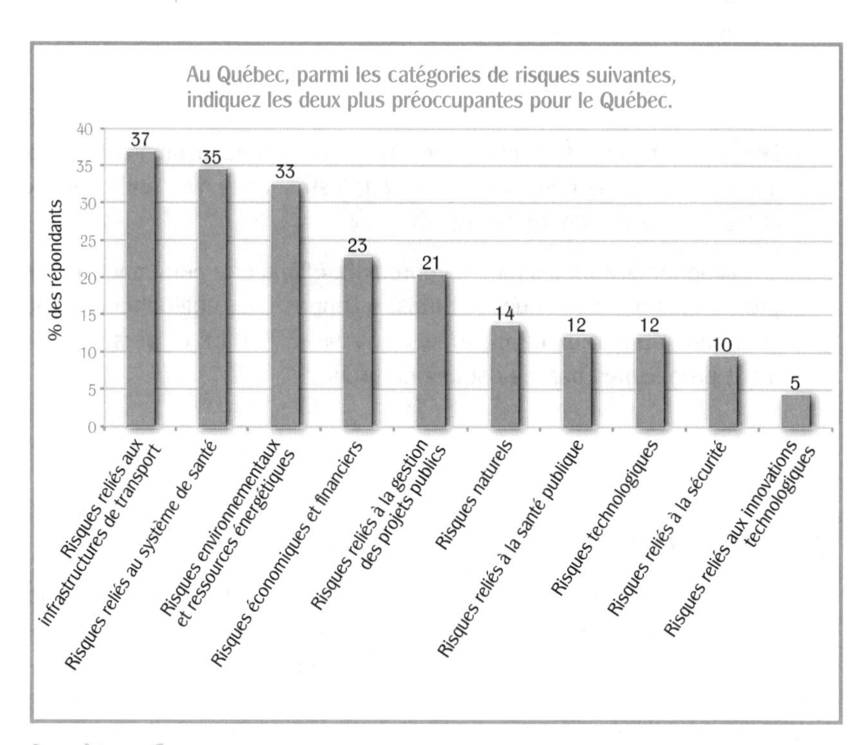

Graphique 5 Classement des catégories de risques les plus préoccupantes au niveau collectif

De la même façon que les préoccupations personnelles, les préoccupations collectives varient en fonction de certaines caractéristiques sociodémographiques. Au niveau des préoccupations collectives toutefois, la variable « sexe des répondants » n'a pas d'influence significative sur le classement. En outre, les foyers qui ont des enfants sont plus préoccupés (41 %) au niveau collectif par les risques reliés au système de santé que ceux qui n'ont pas d'enfant (32 %).

Des préoccupations collectives différentes selon l'âge

Les préoccupations au niveau collectif reliées à la santé publique et à l'économie et aux finances ont à peu près les mêmes différences par catégories d'âge que les préoccupations personnelles. Ainsi, les 55 ans et plus sont les moins nombreux à être préoccupés au niveau collectif par les risques économiques et financiers. Les 18-34 ans sont les plus nombreux de façon significative à être préoccupés au niveau collectif par les risques reliés à la santé publique.

On constate cependant que pour deux catégories de risques, à savoir les risques naturels et les risques reliés au système de santé, l'ordre établi précédemment pour les préoccupations individuelles s'inverse. Ainsi, autant les jeunes (25-34 ans) étaient les plus personnellement préoccupés par les risques naturels, autant lorsque l'on considère les risques au niveau collectif, ce sont les plus âgés (55 ans et plus) qui sont les plus préoccupés. Les « anciennes » générations semblent plus soucieuses des risques naturels, non pas au niveau individuel, mais au niveau collectif.

Les préoccupations relatives au système de santé augmentent de façon significative avec l'âge lorsqu'on les évalue au niveau personnel, alors qu'elles semblent globalement diminuer avec l'âge, lorsqu'on les considère à l'échelle collective. Cela signifie que les jeunes ne se sentent pas concernés individuellement par les problèmes du système de santé mais sont conscients que cela peut être préoccupant pour la population générale du Québec. De la même façon, les personnes âgées considèrent qu'elles ont plus à être personnellement préoccupées par le système de santé mais que pour l'ensemble du Québec, la préoccupation est moindre.

Une autre catégorie de risque émerge avec des différences significatives selon la catégorie d'âge. Il s'agit des risques technologiques. Les préoccupations au niveau collectif envers le risque technologique augmentent avec l'âge de façon significative. Ce sont les 55-64 ans et les 65 ans et + (respectivement 19 % et 17 %) qui sont les plus préoccupés par ces aspects alors que la moyenne toutes catégories d'âge confondues est de 12 %.

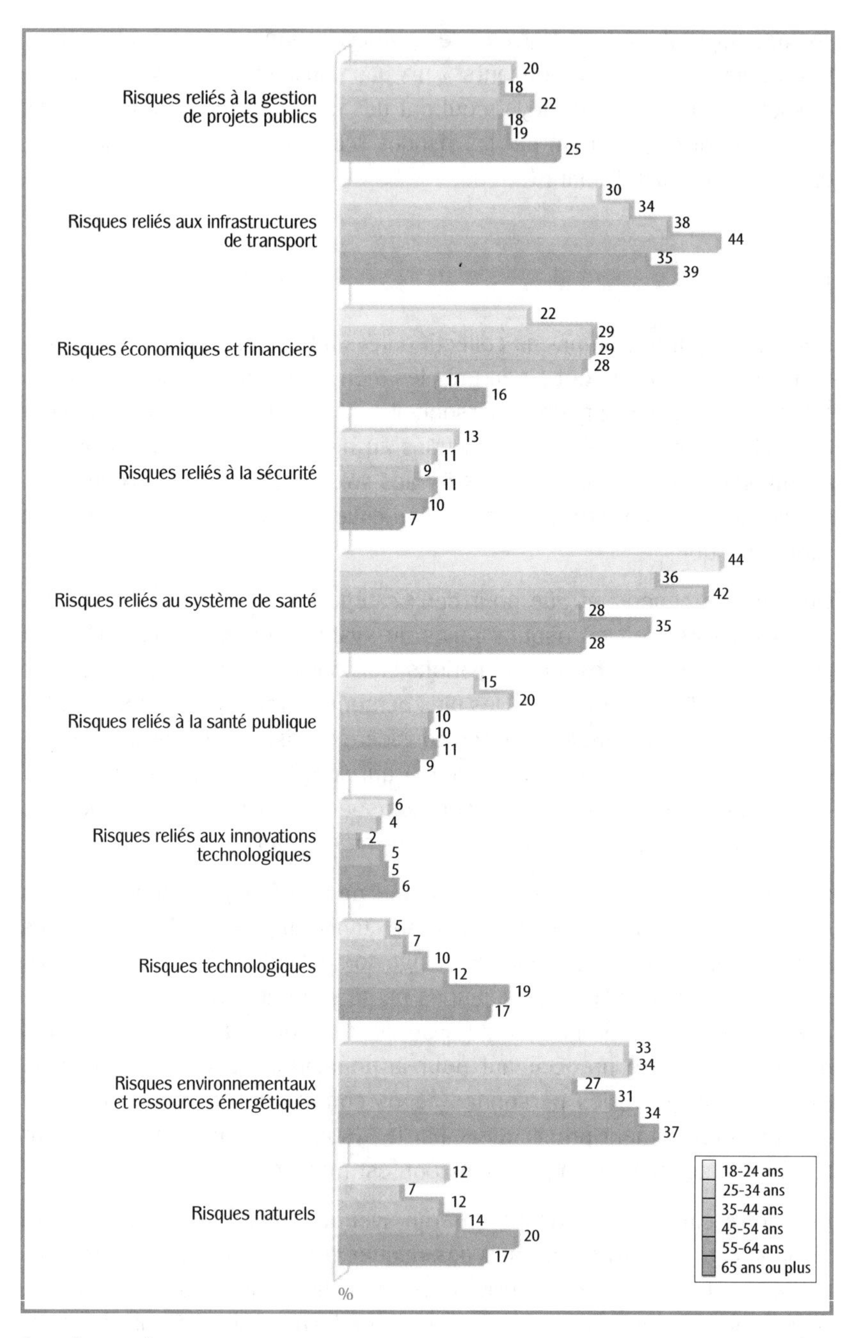

Graphique 6 Préoccupations collectives par catégorie d'âge

Des préoccupations collectives différentes selon la langue maternelle

On observe des différences dans les réponses selon la langue maternelle du répondant, soit le français, l'anglais ou une autre langue maternelle.

Quelques résultats significatifs :

- Les allophones sont les moins nombreux (15 %) de façon très significative à être préoccupés au niveau collectif par les risques économiques et financiers.
- Les allophones sont les moins nombreux (16 %) de façon très significative à être préoccupés au niveau collectif par les risques reliés au système de santé.
- Les francophones sont les plus nombreux (14 %) de façon très significative à être préoccupés au niveau collectif par les risques reliés à la santé publique.
- Les francophones sont les moins nombreux (3 %) de façon très significative à être préoccupés au niveau collectif par les risques reliés aux innovations technologiques.

Les FRANCOPHONES sont les moins préoccupés au niveau collectif par les risques reliés aux innovations technologiques mais les plus préoccupés par la santé publique

- Les anglophones (9 %) sont moins nombreux (de façon significative) que les allophones (17 %), à être préoccupés au niveau collectif par les risques technologiques.
- Les anglophones sont les moins nombreux de façon significative (6 %) à être préoccupés au niveau collectif par les risques naturels.

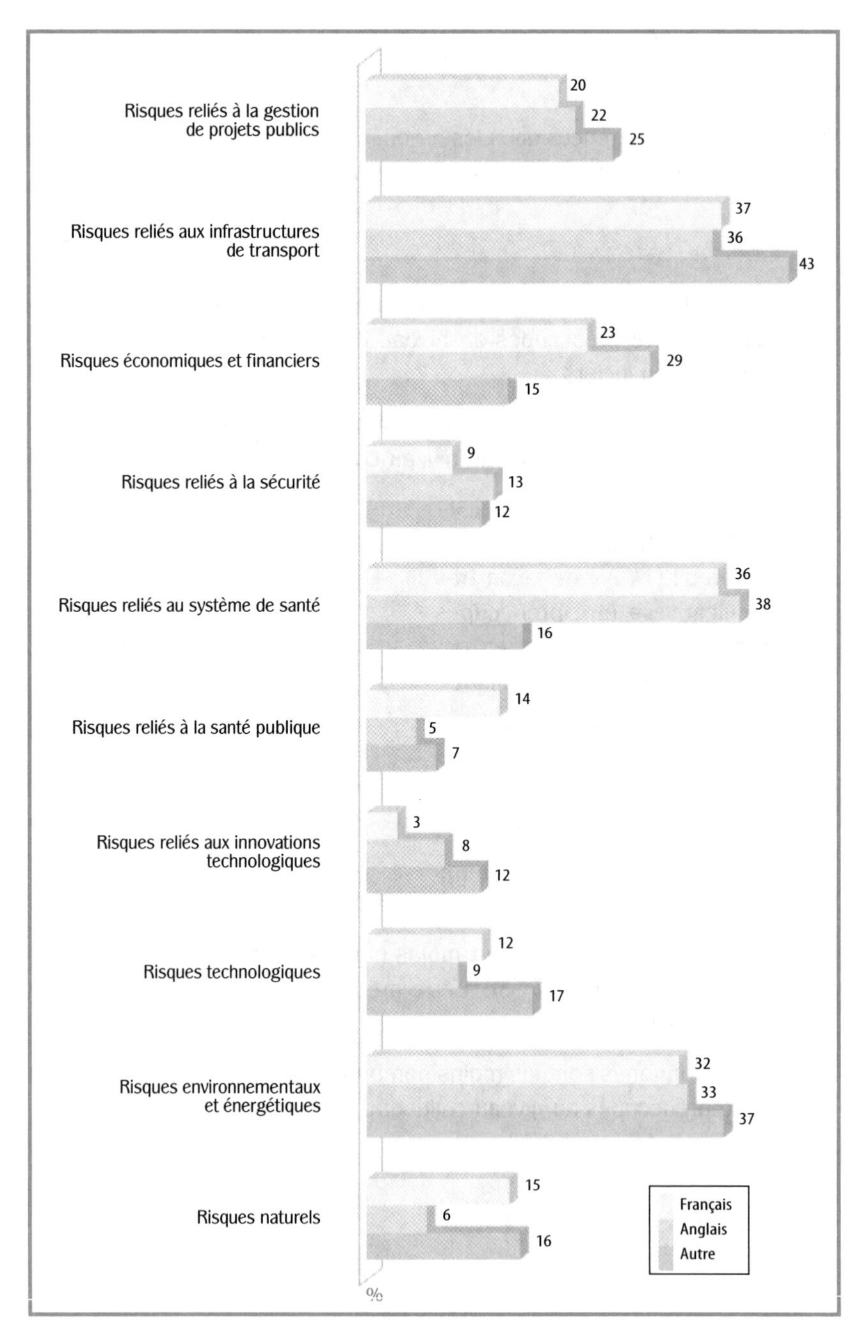

Graphique 7 Préoccupations collectives selon la langue maternelle

Comparaison des préoccupations personnelles et collectives

Il est intéressant de noter que certaines catégories de risques sont plus préoccupantes au niveau personnel qu'au niveau collectif. L'inverse est également vrai.

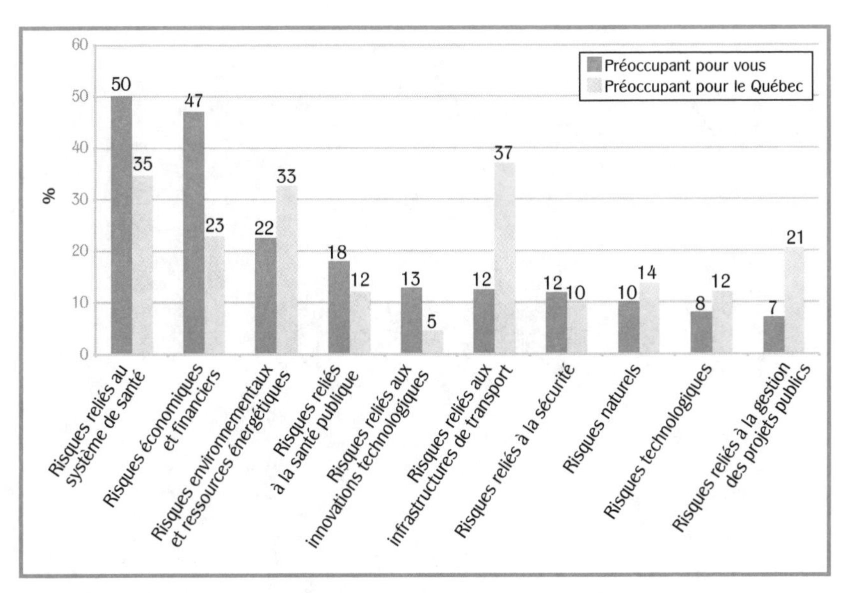

Graphique 8 Comparaison des préoccupations personnelles et collectives

Le graphique ci-dessus montre par exemple, que les risques économiques et financiers et les risques reliés au système de santé sont davantage des préoccupations personnelles plutôt que collectives. À l'opposé, les risques reliés aux infrastructures, les risques environnementaux et les risques reliés à la gestion des projets publics sont davantage des préoccupations au niveau de la société en général que pour un individu en particulier. Un test statistique pour échantillons appariés confirme que les différences de proportion entre les perceptions personnelles et collectives sont statistiquement significatives (excepté la catégorie des risques reliés à la sécurité). On remarque cependant que parmi les trois catégories les plus préoccupantes au niveau personnel, deux font aussi partie du Top 3 des préoccupations collectives. En effet, les risques reliés à l'économie et aux finances sont davantage des préoccupations au niveau personnel alors que les risques reliés aux infrastructures de transport sont davantage des préoccupations au niveau collectif.

3

Projets et enjeux perçus comme les plus risqués au Québec

3 Projets et enjeux perçus comme les plus risqués au Québec

30 projets/enjeux ont été retenus dans cette enquête. Ils correspondent à des situations recensées dans la littérature mais aussi des situations propres au Québec. Ces derniers coïncident avec des projets largement médiatisés au Québec (gaz de schiste, centrale nucléaire, état des ponts...), à des enjeux reliés à la gestion dans le secteur public (engorgement dans les urgences), mais aussi à des projets/enjeux moins connus par le public (nanotechnologies) ou d'autres encore, perçus comme peu risqués (radiographies médicales, ...).

Le tableau suivant regroupe l'ensemble des 30 projets et enjeux à l'étude.

Les inondations	Les infections dans les hôpitaux
Le chômage	L'utilisation de produits chimiques par les industries
La pollution de l'eau	L'exploration pour du pétrole dans le Golfe du St-Laurent
La contamination des aliments par les bactéries ou autres microbes	L'utilisation des nanotechnologies
L'exploitation d'une centrale nucléaire	Les projets en partenariat public-privé
La consommation d'aliments contenant des OGM (Organismes Génétiquement Modifiés)	L'utilisation des engrais/pesticides
Les problèmes de santé liés au tabac et à l'obésité	La difficulté d'accéder aux services de santé
L'utilisation de la génétique/génomique dans la santé	L'exploitation des forêts
L'exploitation des mines d'amiante	Le transport de matières dangereuses

La canicule	Les sites d'enfouissement de déchets domestiques
Les revenus de retraite	L'engorgement des urgences dans les hôpitaux
La pollution de l'air	L'exploration pour du gaz de schiste
La vaccination	L'installation de parc d'éoliennes
L'état des ponts et viaducs	L'utilisation des radiographies médicales
La hausse du coût de la vie	Les glissements de terrain

Tableau 2 Liste des 30 projets/enjeux à l'étude

Les personnes interrogées ont jugé l'ensemble de ces 30 projets/enjeux selon 3 angles, (a) le niveau de risque perçu (chapitre en cours), (b) la confiance accordée à leur gestion par le gouvernement (chapitre 4) et finalement (c) l'acceptabilité sociale (chapitre 6). Cette continuité a permis de faire des comparaisons entre les différents aspects traités pour chaque projet et enjeux à l'étude.

Niveau de risque perçu pour 30 projets/enjeux au Québec

Les répondants ont dû évaluer le niveau de risque qu'ils percevaient au niveau collectif sur une échelle de Likert à 5 points. Ceci permet d'apporter plus de précision et d'augmenter les choix de réponse tout en évitant d'avoir toujours des réponses au centre. Nous avons laissé une option « ne connaît pas le niveau de risque » pour ceux qui ne se sentaient pas assez bien informé pour évaluer le niveau de risque.

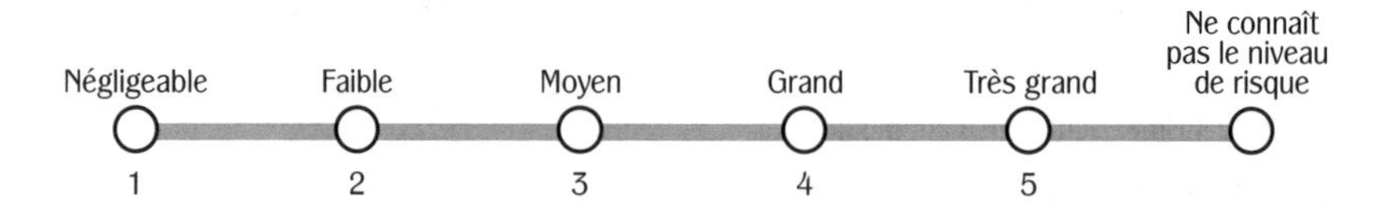

Le graphique 9 (page 41) indique nettement que l'engorgement des urgences dans les hôpitaux, l'état des ponts et viaducs, la difficulté d'accéder aux services de santé et la hausse du coût de la vie sont les risques perçus comme les plus élevés (le niveau de risque perçu pour ces enjeux est en moyenne supérieur à 4, c'est-à-dire supérieur à un niveau de risque « grand »). Le risque lié à la difficulté d'accéder aux services de santé se différencie de l'engorgement des urgences et correspond davantage à la difficulté d'obtenir un médecin de famille, aux délais pour voir un spécialiste, aux délais pour une chirurgie, etc.

Une étude de Guttmann, Schull, Vermeulen et Stuket (2011) réalisée en Ontario, montre que les urgences engorgées ne sont pas sans conséquence pour les patients qui s'y font traiter. Les auteurs démontrent que pour chaque heure supplémentaire de temps d'attente moyen à l'urgence, il y a une augmentation de la mortalité à sept jours et une augmentation des admissions à l'hôpital pour ceux qui ont été renvoyés chez eux ou pour ceux qui ont quitté sans avoir été vus.

Les 3 projets/enjeux perçus comme les plus risqués

- *L'engorgement des urgences*
- *L'état des ponts et viaducs*
- *La difficulté d'accéder aux services de santé*

Les projets/enjeux fortement médiatisés au Québec au printemps 2011 sont également perçus comme ayant des niveaux de risque moyen entre grands et très grands. On notera par exemple, l'état des ponts et viaducs avec un niveau de risque perçu moyen de 4,34 sur une échelle de 1 à 5, l'exploration pour du gaz de schiste, avec un niveau de risque perçu égal à 3,87. Par contre, il est intéressant de noter que malgré la « couverture médiatique » autour de la réfection de la centrale de Gentilly-2, le niveau de risque perçu par l'exploitation d'une centrale nucléaire est évalué en moyenne à 2,83, c'est-à-dire entre faible et moyen. Il en est de même pour le risque perçu relié à la vaccination qui se classe avant-dernier lorsque l'on classe les projets/enjeux par ordre décroissant de niveau de risque perçu. Le niveau de risque moyen perçu est égal à 2,59 sur une échelle de 1 à 5. Ainsi, malgré la surmédiatisation des problèmes reliés à la campagne de vaccination contre la grippe AH1N1 en 2009, le niveau de risque perçu reste faible.

Les dangers des « nouveaux » risques reliés aux OGM (3,03), aux nanotechnologies (2,64) et à la génomique (2,76) sont perçus comme faible ou moyen. Il est toutefois intéressant de noter que d'après notre enquête 31 % des répondants affirment ne pas connaître le niveau de risque relié aux nanotechnologies.

Les projets/enjeux qui ont trait principalement aux risques naturels sont perçus comme ayant un niveau de risque compris entre faible et moyen (par exemple, la canicule (niveau de risque perçu moyen de 2,67 sur une échelle de 5), les glissements de terrain (2,65)). On constate cependant que les inondations sont perçues comme un risque moyen à grand pour le Québec (3,3). Y-a-t-il cependant des différences selon la région d'habitation du répondant? Le sondage a été administré à la suite d'inondations majeures en Montérégie. Néanmoins, un test statistique de comparaison des moyennes permet de conclure qu'il n'y a aucune région sur les 16 identifiées qui cote un niveau de risque pour les inondations de façon statistiquement différentes des autres.

Nous avons voulu également représenter le niveau de risque perçu non plus uniquement par la moyenne des réponses mais plutôt par les pourcentages aux cinq choix de réponses du questionnaire regroupés en 3 grandes catégories, à savoir la catégorie « niveau de risque grand et très grand », la catégorie « niveau de risque moyen » et finalement la catégorie « niveau de risque faible et négligeable ». Nous obtenons le Graphique 10.

D'après notre enquête, 57 % de tous les répondants estiment le risque de l'exploration pour du gaz de schiste comme étant grand ou très grand[4]. C'est le risque d'engorgement dans les urgences qui atteint le pourcentage le plus élevé, supérieur à 80 % de répondants percevant cet aspect comme un risque grand ou très grand.

Notre enquête révèle que 26 % des Québécois perçoivent le risque relié à l'exploitation d'une centrale nucléaire[5] comme grand ou très grand.

---

4. En revanche, d'après notre enquête, on verra par la suite que 67 % des répondants ne font pas du tout ou peu confiance dans la gestion du dossier des gaz de schiste par le gouvernement.

5. Notre sondage a été réalisé quelques mois seulement après l'accident nucléaire de Fukushima au Japon, accident qui a atteint le niveau maximal sur l'échelle INES et est devenu le second accident nucléaire civil le plus grave après celui de Tchernobyl. Est-ce que le niveau de risque perçu par les Québécois pour l'exploitation d'une centrale nucléaire aurait été moins élevé avant l'accident de Fukushima? Il serait alors intéressant de refaire la même enquête dans un an pour observer les variations des perceptions du niveau de risque d'une centrale nucléaire par le Québécois.

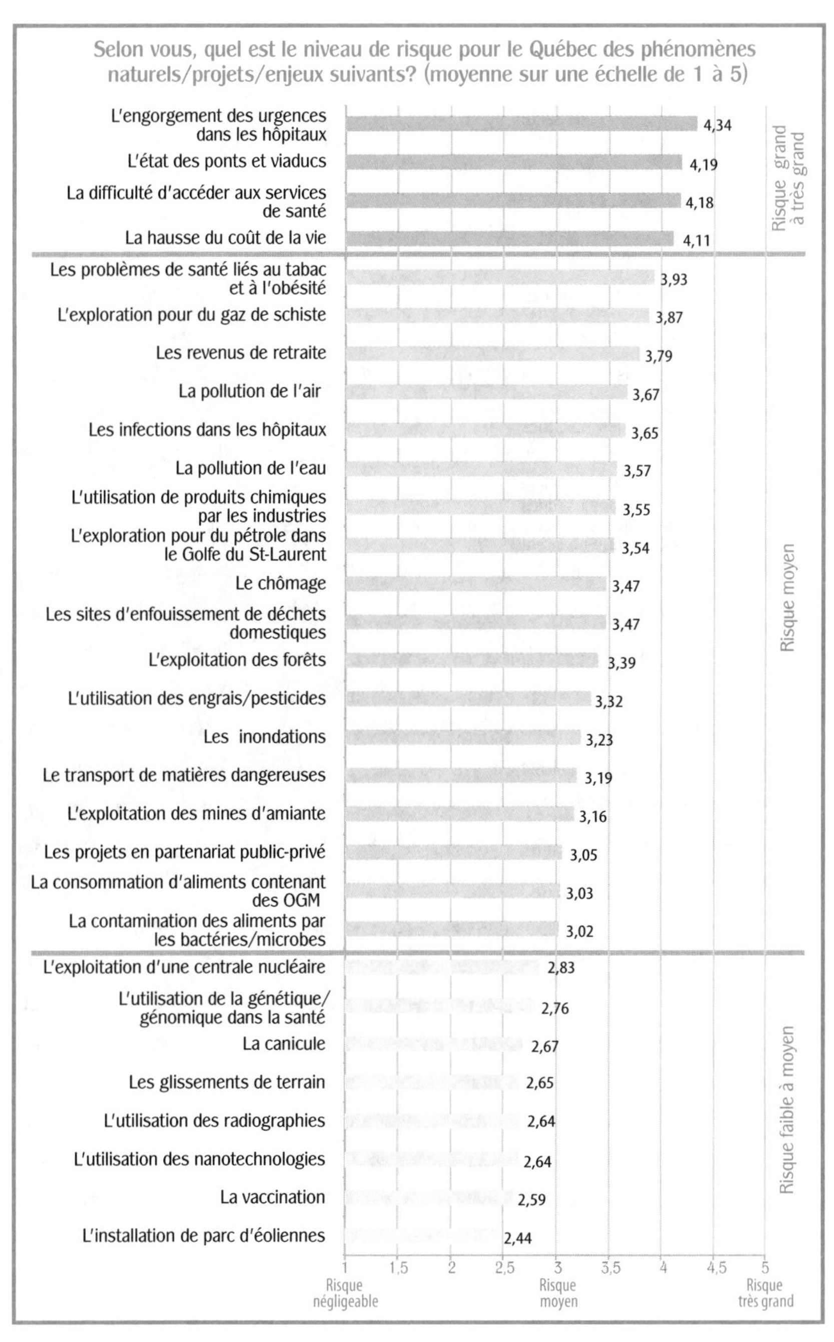

Graphique 9 Perception moyenne du niveau de risque de 30 projets/enjeux au Québec (1/2)

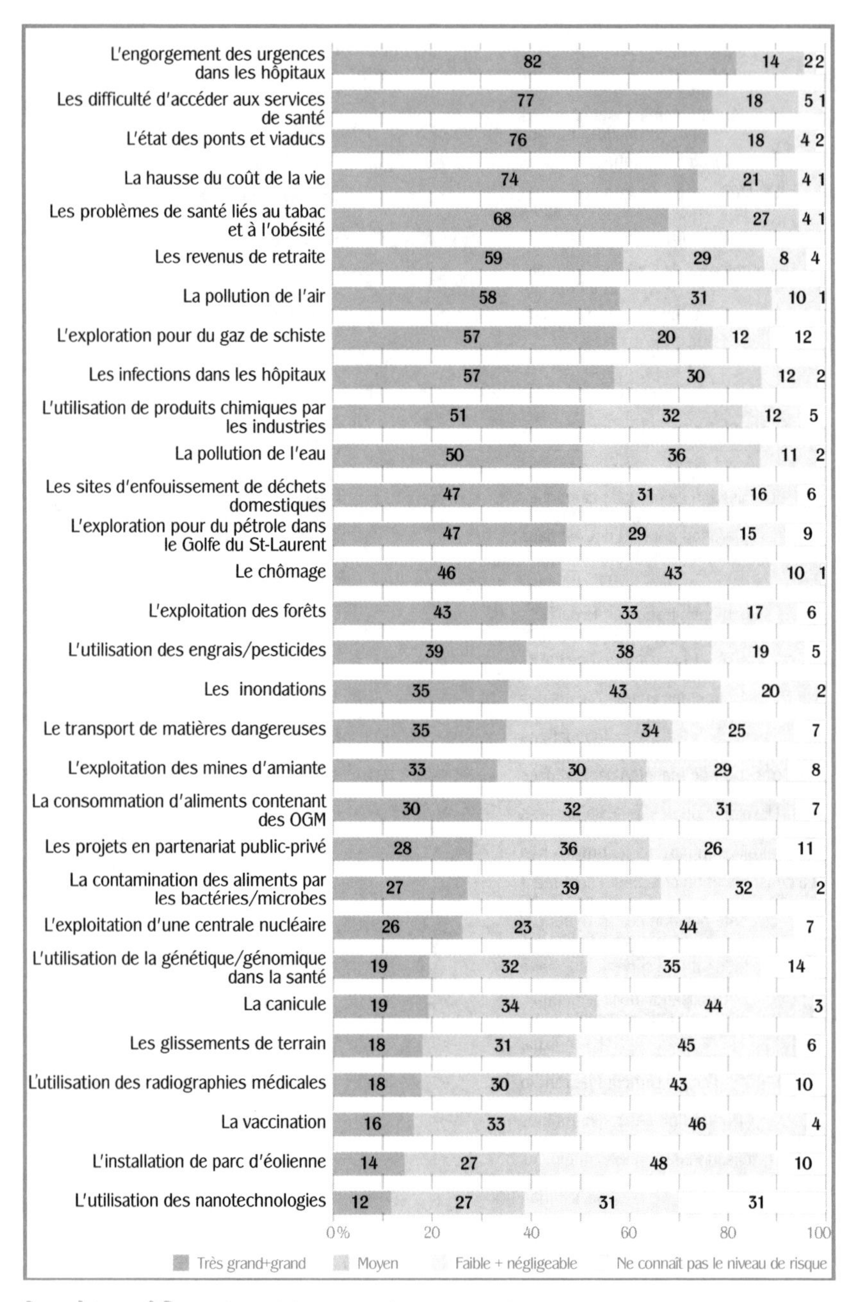

Graphique 10 Répartition des niveaux de risque perçu pour les 30 projets/enjeux au Québec (2/2)

Ce graphique révèle un autre aspect très intéressant en mettant en évidence que pour certains projets/enjeux, plus de 10 % de la population ne connaît pas le niveau de risque. Il s'agit des projets suivants : l'utilisation des nanotechnologies (31 % affirme ne pas connaître le niveau de risque), l'utilisation de la génétique/génomique dans la santé (14 %), l'exploration pour du gaz de schiste (12 %) et enfin les PPP (11 %).

Niveau de risque perçu par grande catégorie de risques

Pour simplifier la lecture des résultats, nous avons réparti les 30 enjeux/projets par grandes catégories de risques (celles utilisées pour exprimer les préoccupations de la population). Le tableau suivant illustre cette répartition[6].

6. Il est important de noter que la catégorie de risques reliés à la sécurité n'a pas été prise en compte pour cet aspect. Ainsi, nous travaillons désormais avec une liste de neuf grandes catégories.

Catégories de risques	Projets / enjeux
Risques naturels	Les inondations La canicule Les glissements de terrain
Risques environnementaux et ressources énergétiques	La pollution de l'eau L'exploitation des mines d'amiante La pollution de l'air L'exploration pour du pétrole dans le Golfe du St-Laurent L'utilisation des engrais / pesticides L'exploitation des forêts L'exploration pour du gaz de schiste L'installation de parc d'éoliennes
Risques technologiques	L'exploitation d'une centrale nucléaire L'utilisation de produits chimiques par les industries Le transport de matières dangereuses Les sites d'enfouissement de déchets domestiques
Risques reliés aux innovations technologiques	La consommation d'aliments contenant des OGM (Organismes Génétiquement Modifiés) L'utilisation de la génétique / génomique dans la santé L'utilisation des nanotechnologies L'utilisation des radiographies médicales
Risques reliés à la santé publique	La contamination des aliments par les bactéries ou autres microbes Les problèmes de santé liés au tabac et à l'obésité La vaccination
Risques reliés au système de santé	Les infections dans les hôpitaux La difficulté d'accéder aux services de santé L'engorgement des urgences dans les hôpitaux
Risques économiques et financiers	Le chômage Les revenus de retraite La hausse du coût de la vie
Risques reliés aux infrastructures de transport	L'état des ponts et viaducs
Risques reliés à la gestion des projets publics	Les projets en partenariat public-privé

Tableau 3 Correspondance entre les catégories de risques et les projets/enjeux à l'étude

Afin de connaître le niveau de risque perçu par grande catégorie, nous avons tout d'abord calculé la moyenne pour chaque répondant des niveaux de risque des projets/enjeux associés à chaque grande catégorie. Puis nous avons calculé la moyenne de ces moyennes pour l'ensemble des répondants. Il était important de procéder de la sorte compte tenu des non-réponses.

Voyons dorénavant la répartition des niveaux de risque par grandes catégories de risques. Nous avons représenté sur le même graphique le niveau de risque moyen perçu par grande catégorie ainsi qu'en dessous de chacune d'elle, le niveau de risque moyen perçu pour les projets/enjeux les représentant. Le classement a été fait selon les moyennes par grandes catégories.

Graphique 11 Moyenne des perceptions du niveau de risque pour 9 grandes catégories de projets au Québec

Ainsi on retrouve en tête du classement des catégories perçues comme les plus risquées, les risques reliés aux infrastructures de transport, ceux touchant le système de santé et finalement les risques économiques et financiers (tableau ci-dessous). Rappelons-nous que ces catégories représentent celles pour lesquelles les Québécois sont les plus préoccupés au niveau collectif (voir Graphique 5).

Classement	Catégorie de risque	Niveau moyen de risque perçu (sur une échelle de 1 à 5, avec 1 = risque négligeable et 5 = risque très grand)
1	Risques reliés aux infrastructures de transport	4,19
2	Risques reliés au système de santé	4,06
3	Risques économiques et financiers	3,79

Tableau 4 Classement des catégories de risques perçues comme les plus risquées en moyenne

Le graphique 11 permet également de voir quel projet/enjeu a le plus de poids dans une catégorie. Ainsi, on constate que pour les risques reliés au système de santé, l'enjeu perçu comme le plus risqué est l'engorgement des urgences. De la même façon, l'enjeu qui fait augmenter le risque moyen relié à l'économie et aux finances est la hausse du coût de la vie. En ce qui concerne le risque moyen relié aux risques environnementaux et ressources énergétiques, ce sont les gaz de schiste qui dans ce cas-ci tirent la moyenne vers le haut. Les problèmes de santé liés au tabac et à l'obésité représentent l'enjeu perçu comme le plus risqué parmi les enjeux de santé publique. En ce qui a trait aux risques naturels, les risques d'inondations sont perçus comme plus élevés que les autres types de risques naturels à l'étude.

Niveau de confiance dans la gestion des projets et enjeux au Québec

NIVEAU DE CONFIANCE DANS LA GESTION DES PROJETS ET ENJEUX AU QUÉBEC

Plusieurs auteurs notent que la confiance dans la gestion d'un projet joue un rôle primordial dans le déroulement de celui-ci. Comme l'indique Sjöberg (1998), la confiance est une explication importante des préoccupations au sein de la société. La confiance du public dans les experts pour évaluer le risque représente un élément sociologique important susceptible d'influencer la perception du risque. Cette confiance dépend de leur crédibilité et de la crédibilité des institutions qui les emploient. D'ailleurs, les études sur le processus, qui conduit un individu à adopter des comportements sécuritaires ou à abandonner des comportements malsains ou dangereux, se fondent pour l'essentiel sur l'idée que les attitudes et les croyances des personnes pourraient être des déterminants majeurs de leurs comportements (Kouabenan, 2000). Dans un contexte de projets ou de décisions risquées, la personne qui parle a une plus grande importance encore. Ce chapitre donne ainsi des réponses à la question « Quel est le niveau de confiance accordée par la population au gouvernement pour sa gestion de 30 projets et enjeux au Québec? ».

Au Québec, les agences, telles que le BAPE[7] ou encore la Régie de l'Énergie, sont de plus en plus sollicitées. Par exemple, le BAPE permet aux Québécois de contribuer à la décision du gouvernement d'autoriser ou non la réalisation d'un projet susceptible d'avoir des répercussions majeures sur leur

7. « Le Bureau d'audiences publiques sur l'environnement est un organisme public et indépendant qui relève du ministre du Développement durable, de l'Environnement et des Parcs. Il a pour mission d'éclairer la prise de décision gouvernementale dans une perspective de développement durable, lequel englobe les aspects biophysique, social et économique. Pour réaliser cette mission fondamentale, le BAPE informe, enquête et consulte la population sur des projets ou des questions relatives à la qualité de l'environnement que lui soumet le ministre. Il produit par la suite des rapports d'enquête qui sont rendus publics. Le BAPE est par conséquent un organisme gouvernemental consultatif et non décisionnel. » (Site Internet du BAPE, tiré de http://www.bape.gouv.qc.ca/sections/bape/organisme/index.htm, consulté le 27 septembre 2011).

environnement. Ces organismes permettent effectivement de réunir l'expertise voulue pour faire et appliquer des politiques ou émettre des avis. Il nous est donc apparu indispensable de connaître l'opinion de la population sur l'importance d'organismes comme le BAPE, et surtout d'identifier le choix des personnes qui devraient être consultées lors de la prise de décision sur les projets publics.

Ce chapitre couvre donc à la fois le niveau de confiance des Québécois dans la gestion des risques par le gouvernement (au sens de l'autorité publique) et également l'importance des structures pluralistes en appui aux décisions gouvernementales.

Niveau de confiance accordée dans la gestion par le gouvernement de 30 projets/enjeux au Québec

Les répondants ont dû évaluer le niveau de confiance qu'ils accordaient dans la gestion par le gouvernement de 30 grands projets/enjeux au Québec sur une échelle de Likert à 5 points. Nous avons laissé une option « aucune opinion » pour ceux qui n'ont pas d'opinion sur la confiance dans la gestion par le gouvernement.

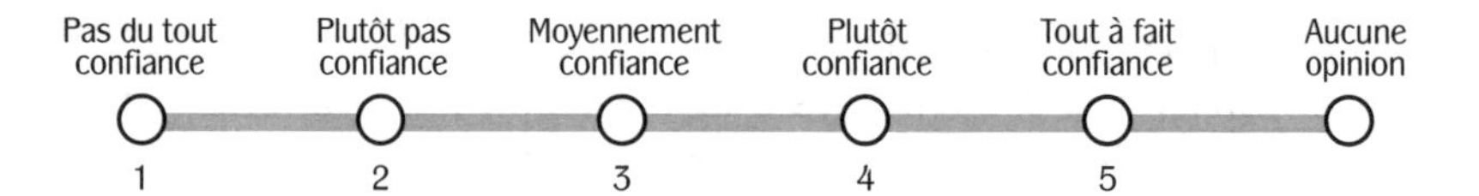

Pour 3 projets/enjeux seulement, les Québécois ont coté une confiance légèrement supérieure au choix de réponse « moyennement confiance » vis-à-vis du gouvernement. Ainsi, seules l'installation de parc d'éoliennes (confiance de 3,07 sur 5), la vaccination (3,14) et l'utilisation des radiographies médicales (3,17) dépassent une confiance moyenne. De la même façon que les Québécois leur attribuaient un niveau de risque faible, les projets/enjeux précédents sont ceux pour lesquels les Québécois font le plus confiance au gouvernement pour les gérer. Pour les 27 autres projets, la confiance des Québécois se situe entre « pas du tout confiance » et « moyennement confiance ».

Revenons sur la vaccination. Tout le monde se souvient encore de la campagne de vaccination contre la grippe A (H1N1) de 2009-2010, inédite à l'échelle internationale à la fois par la rapidité avec laquelle les vaccins ont été développés, par les campagnes de vaccinations organisées, ainsi que par l'ampleur des polémiques déclenchées. Des polémiques ont effectivement surgi, portant à la fois sur les risques médicaux potentiels associés à une opération de cette envergure avec des produits développés rapidement mais aussi sur les aspects sociaux et politiques de ces campagnes (la logistique employée, les coûts induits par l'achat des vaccins et par l'organisation de la vaccination, la communication gouvernementale, etc.). Toutefois, la vaccination se retrouve en 2e position parmi les projets/enjeux auxquels les Québécois accordent le plus de confiance au gouvernement pour sa gestion. On constate également que pour les enjeux de santé publique (problèmes de santé reliés à l'obésité, au tabac, contamination des aliments, etc.…) les répondants font en général relativement confiance au gouvernement.

Les 3 projets/enjeux pour lesquels la confiance dans la gestion des risques par le gouvernement (autorité publique) est la plus faible :

- *L'engorgement des urgences*
- *Le gaz de schiste*
- *La difficulté d'accès aux services de santé*

D'autre part, les réponses des Québécois sur les niveaux de risque des 30 projets/enjeux proposés s'étalaient entre 2,44 à 4,34 (étendue de 1,9), alors que pour la confiance accordée au gouvernement dans la gestion de ces projets/enjeux, l'amplitude des réponses n'est que de 1,3. La confiance moyenne varie de 1,87 pour la plus faible à 3,17 pour la plus forte. Ainsi, les niveaux de risque perçu sont plus dispersés que ceux de la confiance dans la gestion par le gouvernement.

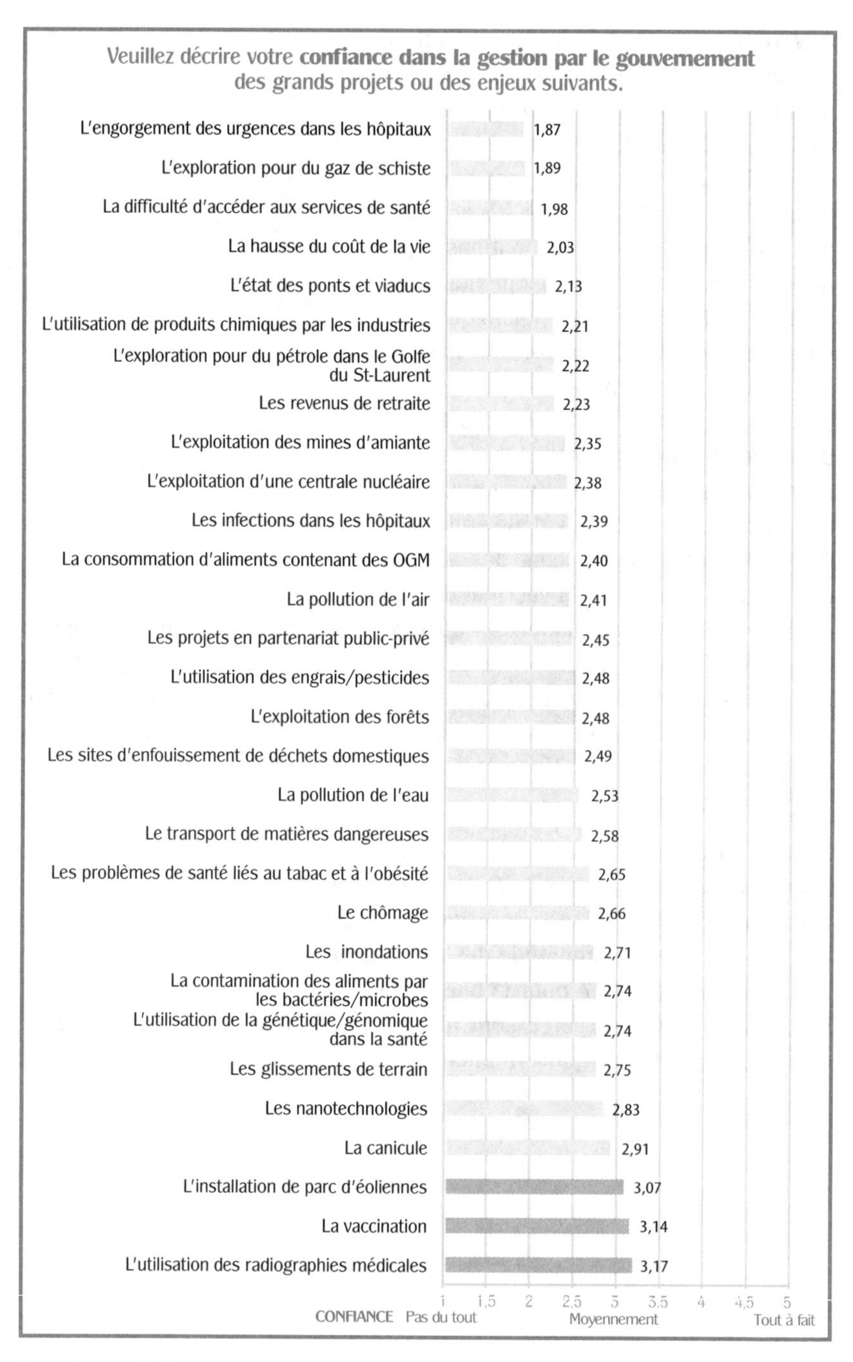

Graphique 12 Niveau de confiance dans la gestion par le gouvernement de 30 projets/enjeux au Québec (1/2)

De façon encore plus marquée que pour le niveau de risque perçu, on constate que les projets hautement médiatisés se retrouvent en tête des projets pour lesquels la confiance dans le gouvernement est la plus faible. Certains sont des sujets récurrents dans les nouvelles depuis plusieurs années : il s'agit entre autres de la problématique de l'engorgement des urgences dans les hôpitaux (74 % des Québécois affirment n'avoir pas du tout confiance ou plutôt pas confiance dans sa gestion par le gouvernement) ou encore de la difficulté d'accéder aux services de santé (69 % n'ont pas du tout ou plutôt pas confiance). D'autres sont des sujets qui sont hautement médiatisés depuis le printemps 2011 : il s'agit de l'exploration pour du gaz de schiste (67 % n'ont pas du tout ou plutôt pas confiance), de la hausse du coût de la vie (65 % n'ont pas du tout ou plutôt pas confiance)[8] et de l'état des ponts et viaducs (62 % n'ont pas du tout ou plutôt pas confiance). Lorsque l'on examine le Top 5 de l'actualité[9] dans la semaine du 21 au 27 juin 2011, semaine pendant laquelle a eu lieu l'acquisition des données, on s'aperçoit qu'outre le sport (Repêchage dans la LNH et Tournoi de Tennis de Wimbledon), les inondations en Montérégie ont occupé une grande partie du poids médias. Mais comme l'a indiqué Influence Communication, « c'est surtout le poids médias de la circulation qui est intéressant à indiquer, puisqu'il a été 1400 % plus élevé qu'à la normale. Il a même surpassé le Canadien de Montréal. C'était la première fois depuis le début des années 2000 que la circulation était aussi présente dans l'actualité québécoise ».

Les Québécois accordent leur plus grande confiance au gouvernement pour la gestion des projets/enjeux représentant plutôt des situations que l'on subit (inondations, glissement de terrain, canicule...).

Ce graphique révèle aussi un aspect très intéressant en mettant en avant que pour certains projets/enjeux, plus de 10 % de la population affirme ne pas avoir d'opinion quant à leur confiance dans le gouvernement pour leur gestion de ces projets. Il s'agit des projets suivants : l'utilisation des nanotechnologies (29 % affirme ne pas avoir d'opinion sur leur niveau de confiance dans le gouvernement pour leur gestion), l'utilisation de la génétique dans la santé (15 %), la canicule (12 %) et enfin l'exploration pour du gaz de schiste (10 %). Il s'agit des mêmes projets pour lesquels les Québécois avaient déjà affirmé en grand nombre qu'ils ne connaissaient pas le niveau de risque associé.

8. Il est à noter que le prix de l'essence fait partie du top 18 des grands thèmes traités par les médias du Québec, représentant un poids médias de 1,14 % pour l'année 2010 (Influence Communication, 2010).

9. Source : Site internet d'Influence Communication, consulté le 18 juillet 2011, disponible à la page http://www.influencecommunication.com/fr/content/top-5-de-lactualite-semaine-du-21-au-27-juin-2011.

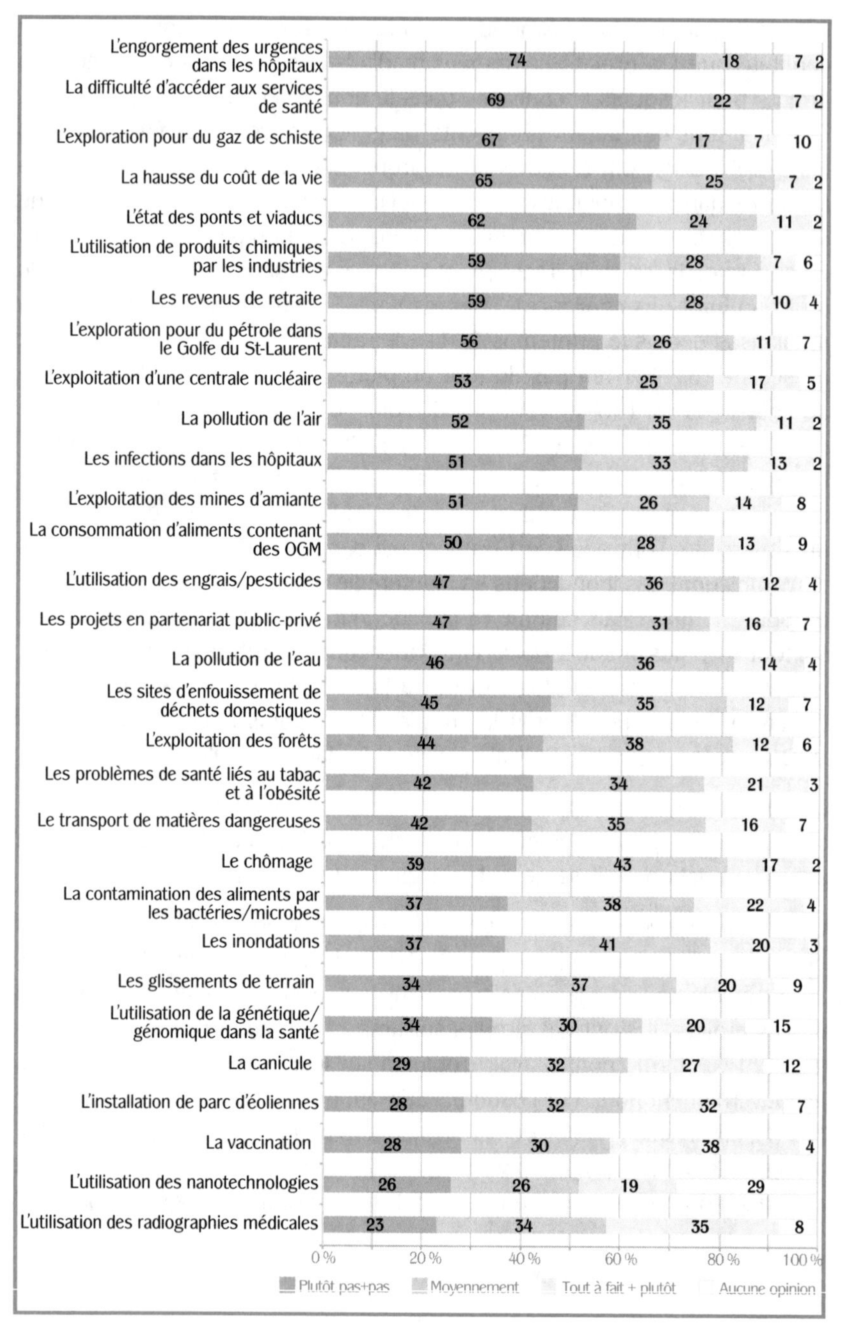

Graphique 13 Répartition des niveaux de confiance dans la gestion par le gouvernement de 30 projets/enjeux au Québec (2/2)

De la même façon que nous avons créé des grandes catégories pour exprimer un niveau de risque plus global, encore là, pour simplifier la lecture des résultats, les 30 enjeux/projets ont été regroupés par grandes catégories de risques. La moyenne relative à la confiance dans le gouvernement pour chaque grande catégorie a été calculée de la même façon que la moyenne pour le niveau de risque perçu.

On retrouve en tête du classement des catégories de risques pour lesquelles la population accorde la moins grande confiance, les risques reliés au système de santé, les risques reliés aux infrastructures de transport et finalement les risques économiques et financiers (tableau ci-dessous). Rappelons-nous que ces catégories représentaient également celles pour lesquelles les Québécois percevaient le plus haut niveau de risque (voir Tableau 5) ainsi que celles pour lesquelles ils étaient les plus préoccupés au niveau collectif (voir Graphique 5).

Classement	Catégorie de risque	Niveau moyen de confiance accordé au gouvernement pour sa gestion des risques (sur une échelle de 1 à 5, avec 1 = pas du tout confiance et 5 = tout à fait confiance)
1	Risques reliés au système de santé	2,08
2	Risques reliés aux infrastructures de transport	2,13
3	Risques économiques et financiers	2,31

Tableau 5 Classement des catégories de risques en fonction du niveau moyen de confiance accordée au gouvernement pour leur gestion

Voici les résultats graphiques montrant la confiance dans la gestion par le gouvernement en fonction des grandes catégories de risques.

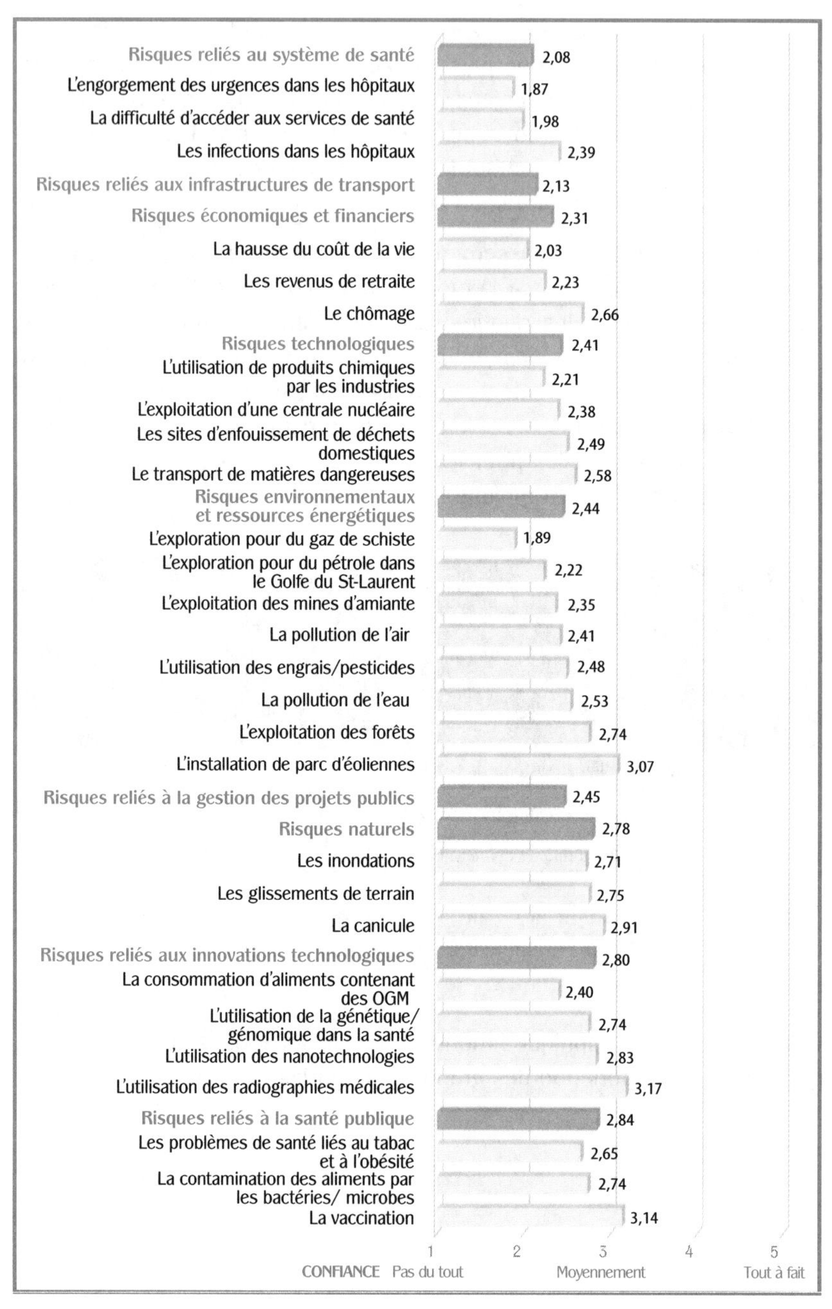

Graphique 14 Confiance dans la gestion par le gouvernement par grande catégorie de projets au Québec

Ce graphique permet de voir quel projet/enjeu a le plus de poids dans une catégorie, relativement à la confiance dans le gouvernement. Ainsi, on constate que pour les risques reliés au système de santé, l'enjeu auquel les répondants accordent la plus grande confiance est celui des infections dans les hôpitaux (par rapport aux 2 autres projets apparaissant sous cette catégorie). Toutefois, il est bon de préciser que même si ce niveau de confiance en moyenne est le plus élevé dans la catégorie de risques reliés au système de santé, il reste que son niveau est très faible, égal à 2,39 sur une échelle allant de 1 à 5.

L'enjeu qui fait diminuer la confiance moyenne reliée à l'économie et aux finances est clairement la hausse du coût de la vie (on se rappelle que cet enjeu faisait aussi augmenter le niveau de risque perçu moyen relatif aux risques reliés à l'économie). En ce qui concerne le risque moyen relié aux risques environnementaux et ressources énergétiques, ce sont les gaz de schiste qui dans ce cas-ci tirent la moyenne vers le bas (moyenne qui est contrebalancée par la haute confiance que les répondants ont dans le gouvernement pour la gestion de l'installation de parc d'éoliennes). La vaccination représente clairement l'enjeu auquel les répondants accordent leur plus grande confiance parmi tous les enjeux de santé publique. En ce qui a trait aux risques reliés aux innovations technologiques, les répondants ont moins confiance dans le gouvernement pour la consommation d'OGM que pour les autres aspects traités.

Relation entre le niveau de risque perçu et la confiance dans le gouvernement

Le niveau de risque perçu et la confiance dans le gouvernement pour la gestion des risques sont étroitement liés et tous deux contribuent à la formation des opinions sur les risques.

Le graphique suivant permet de visualiser, sous la forme d'une matrice, à la fois la confiance et le niveau de risque perçu. Cette matrice est divisée en 4 sections : (1) niveau de risque perçu faible/confiance faible dans le gouvernement, (2) niveau de risque perçu faible/confiance élevée, (3) niveau de risque perçu élevé/confiance élevée et finalement, (4) niveau de risque perçu élevé/confiance faible. Chaque projet/enjeu à risque est positionné selon son score de niveau de risque perçu et de confiance dans le gouvernement pour sa gestion.

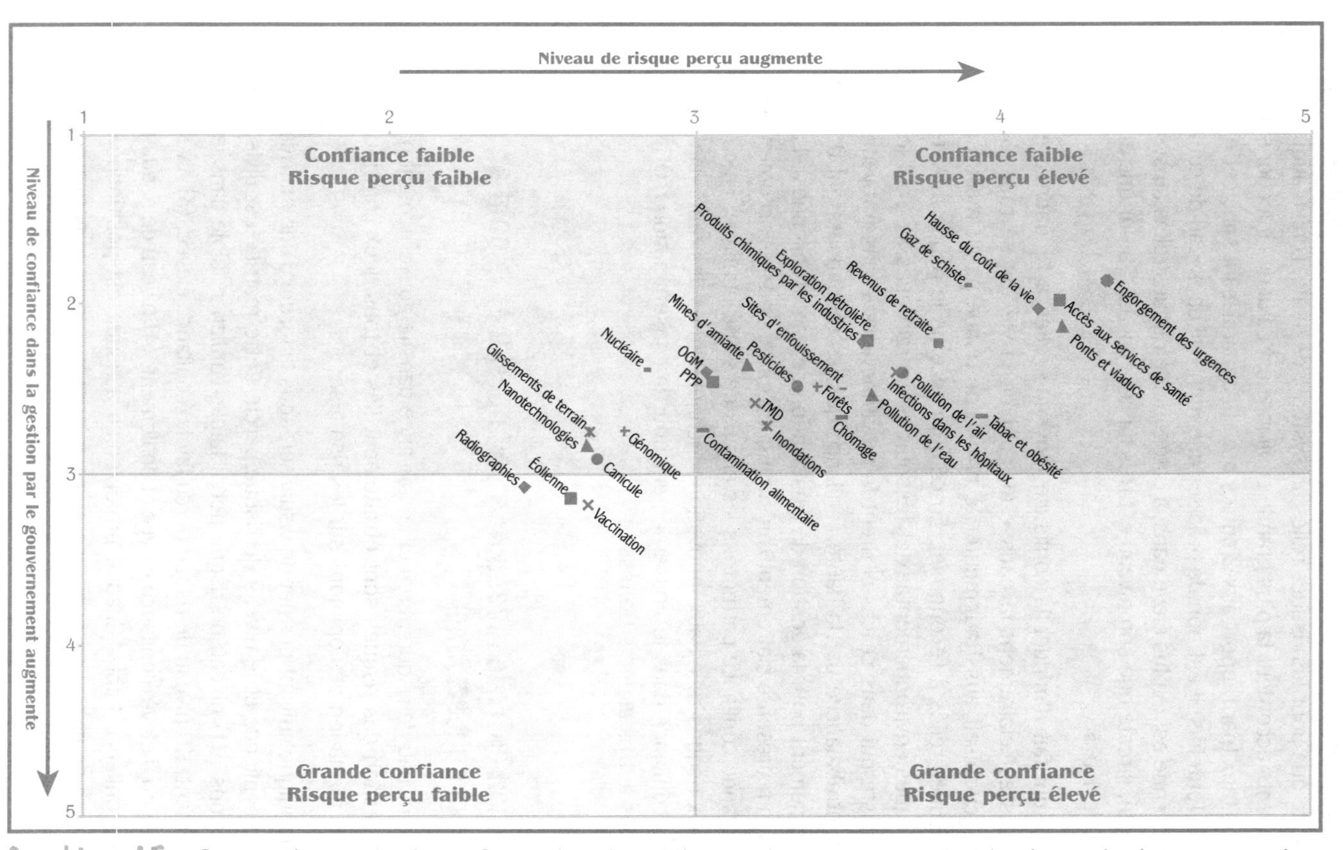

Graphique 15 Comparaison entre la confiance dans la gestion par le gouvernement et le niveau de risque perçu des 30 projets/enjeux

Ce graphique permet de constater qu'aucun projet ne se retrouve dans la partie de la matrice qui se qualifie par la perception d'un risque élevé et une grande confiance dans le gouvernement. Des tests de corrélation permettent de montrer que pour tous les projets/enjeux à l'étude, plus le niveau de confiance dans le gouvernement augmente, plus le niveau de risque perçu diminue et ce de façon statistiquement significative.

Pour tous les projets/enjeux à l'étude, plus le niveau de risque perçu augmente, plus le niveau de confiance dans le gouvernement diminue.

Perception du niveau d'utilité des structures pluralistes de concertation et d'évaluation de situations à risques

83,7% des personnes interrogées sont favorables au développement de structures de concertation pluralistes associant des experts scientifiques, provenant des milieux gouvernementaux, municipaux, privés et universitaires dont le but serait d'évaluer et de faire des recommandations sur des situations à risques.

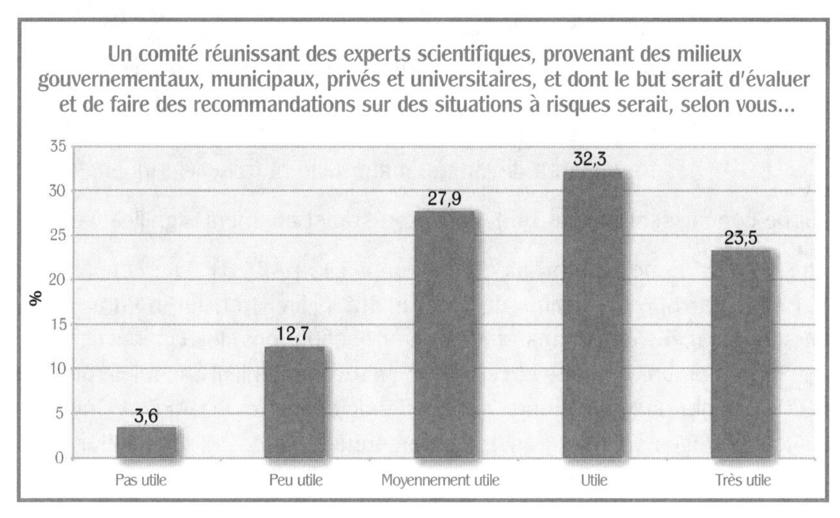

Graphique 16 Utilité d'une structure pluraliste de concertation et d'évaluation de situations à risques

44,8 % des Québécois disent ne pas connaître le BAPE

Il est toutefois intéressant de croiser ces statistiques avec le fait que les Québécois connaissent ou non le Bureau d'audience publique pour l'environnement (BAPE). En effet, d'après notre enquête, même si plus de 80 % des Québécois estime utile un comité réunissant des experts, seulement 55,2 % des Québécois affirme connaître le BAPE. Par contre, un test de moyenne (t-test) entre la perception du niveau d'utilité d'une structure pluraliste et la connaissance du BAPE montre que le niveau d'utilité n'est pas significativement différent, que les répondants connaissent ou non le BAPE.

Bien qu'il a été souvent fait mention du BAPE dans l'actualité au cours de l'année 2011 (dossier des gaz de schiste, etc.), il est surprenant de constater que près de la moitié de la population ne connait pas le BAPE. Pour être précis, c'est :

- 56 % des femmes,
- 57 % des répondants sans enfant,
- 54 % des habitants de la région métropolitaine de Montréal (comparativement à seulement 35 % des habitants de la région de Québec et 37 % des habitants d'autres régions),
- 62 % des jeunes de 18-34 ans (comparativement à 30-40 % des autres catégories d'âge),
- 53 % des répondants avec un revenu total de moins de 40 000 $,
- 74 % des anglophones,
- 80 % des répondants de langue maternelle ni française, ni anglaise,

qui ne connaissent pas le BAPE (de façon statistiquement significative).

Une régression de type probit[10] (1 = connaît le BAPE, 0 = ne connaît pas le BAPE) corrobore certains de ces résultats. En effet, les hommes, les personnes âgées de 55 ans et plus, les francophones, les Québécois avec une formation universitaire et ceux avec un revenu familial annuel de plus de 80 000 $ ont une plus grande probabilité de connaître le BAPE. À l'inverse, les jeunes (âgés de 18-34 ans), les personnes mariées et les habitants de

10. Les fonctions probit seront expliquées en détails au chapitre 7 .

la région métropolitaine de recensement de Montréal ont une plus grande probabilité de ne pas connaître le BAPE.

Ces structures de dialogue doivent aux yeux du public rassembler une multitude d'acteurs. À la question de « qui devrait être consulté par le gouvernement dans la gestion des grands projets ou de toutes décisions publiques? », 96 % des répondants ont cité les experts indépendants et 88 %, les citoyens ou groupes communautaires. 70 % des répondants disent que le gouvernement devrait consulter les élus locaux, 67 %, les groupes environnementaux et enfin 56 %, les associations industrielles ou sectorielles. Finalement, 25 % seulement des répondants pensent que les syndicats devraient être consultés par le gouvernement.

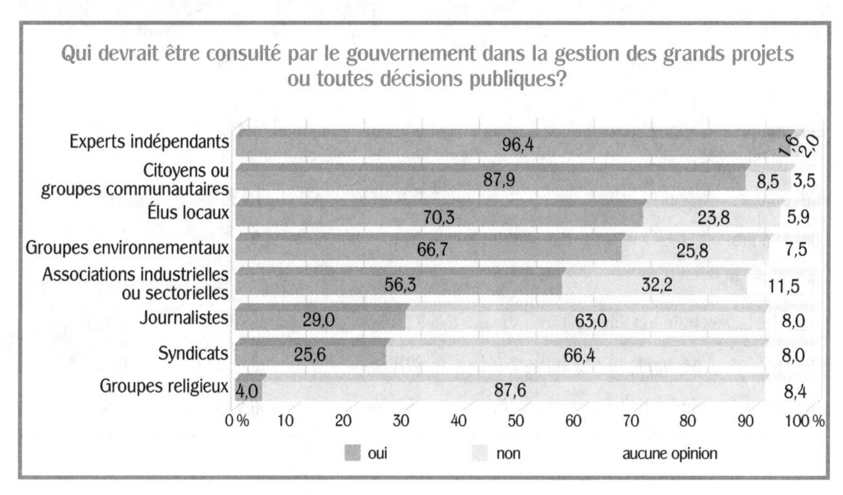

Graphique 17 Acteurs que le gouvernement devrait consulter dans la gestion des grands projets ou décisions publiques

Des différences significatives sont toutefois à noter dans les choix des Québécois des entités à être consultées dans la gestion des grands projets ou décisions publiques en fonction de leur perception de l'utilité d'une structure pluraliste. Nous avons pour ce faire réalisé des tests statistiques sur les réponses obtenues pour chaque acteur devant être consulté par le gouvernement et le fait que les répondants considéraient une structure pluraliste comme utile ou non. Ainsi, il appert que les Québécois qui considèrent une structure pluraliste d'évaluation des risques utile sont significativement plus nombreux à vouloir que le gouvernement dans sa gestion des grands projets consulte les experts indépendants (dans le tableau suivant, on a $p < 0,001$), les groupes environnementaux, les citoyens ou groupes communautaires et les associations industrielles ou sectorielles. Il appert que les Québécois qui considèrent utile une structure pluraliste d'évaluation des risques sont, à l'inverse, significativement moins nombreux à vouloir que le gouvernement dans sa gestion des grands projets consulte les groupes religieux et les journalistes.

En faveur que le gouvernement dans sa gestion des grands projets consulte....	Niveau d'utilité d'une structure pluraliste		
	Pas, peu ou moyennement utile n = 499	Utile, très utile n = 631	p[1]
Des experts indépendants (chercheurs, médecins, scientifiques...)	96,4 %	99,8 %	0,000****
Des groupes environnementaux (ex : Greenpeace)	67,8 %	75,4 %	0,007***
Des groupes religieux	5,9 %	3,2 %	0,044**
Des syndicats	26,1 %	29,1 %	0,287
Des journalistes	34,6 %	29,0 %	0,058*
Des élus locaux (municipalités...)	72,3 %	76,6 %	0,113
Des citoyens ou des groupes communautaires	89,1 %	92,8 %	0,033**
Des associations industrielles ou sectorielles	56,8 %	68,9 %	0,000****

1. t-test
* $p < 0,1$; ** $p < 0,05$; *** $p < 0,001$; **** $p < 0,0001$

Tableau 6 Proportion des acteurs que les Québécois désirent voir consulter par le gouvernement dans sa gestion des grands projets en fonction de leur vision de l'utilité d'une structure pluraliste

5

SOURCES D'INFORMATION LES PLUS UTILISÉES PAR LA POPULATION

5 SOURCES D'INFORMATION LES PLUS UTILISÉES PAR LA POPULATION

La gestion des risques doit de plus en plus tenir compte de l'attitude de la population envers les risques parce que la population elle-même est de plus en plus avertie. Les opinions du public sont formées à partir des informations qui leur arrivent. Quelles sont ces sources d'information? Est-ce que la confiance dans ces sources d'information a une influence sur la perception des risques? Autant de questions qu'il est important de se poser lorsque l'on aborde la problématique de la perception des risques et auxquelles on répond dans ce chapitre.

Les sources d'information utilisées par le public pour s'informer des risques sont nombreuses. Il est toutefois important de faire la distinction entre le média et la personne qui parle. Ainsi, différents médias sont mis à la disposition du public afin qu'il obtienne de l'information sur les risques : la télévision, la radio, l'Internet, la presse écrite, etc.... Dans un contexte de projets ou de décisions risquées, la personne qui parle a une plus grande importance encore. On peut s'informer auprès de sa famille ou de ses amis, etc. Tout au long de ce chapitre, nous ferons la distinction entre les médias utilisés et les personnes consultées.

Niveau d'utilisation des sources d'information

Médias utilisés

67 % des Québécois utilisent beaucoup ou énormément la télévision et la radio comme source d'information. Cela en fait encore aujourd'hui la source d'information la plus utilisée. Néanmoins, on constate qu'Internet (sites web) ne se retrouve pas loin derrière, avec 54 % des Québécois qui l'utilisent beaucoup ou

Les trois sources d'information (médias) les plus utilisées :

- *La télévision ou la radio*
- *Internet (sites web)*
- *Internet (réseaux sociaux)*

énormément. Arrive ensuite, utilisé grandement par près de 27 % des Québécois, Internet avec les réseaux sociaux. « Les blogues, twitter, Facebook, youtube et compagnie, sont devenus des acteurs incontournables de la sphère médiatique. En plus d'amplifier et d'accélérer la propagation des nouvelles, les médias sociaux, ces perrons d'église modernes, bousculent la popularité de la radio comme source d'information en 2010 », affirmait le groupe Influence Communication dans son rapport sur l'état de la nouvelle en 2010 (Influence Communication, 2010). Nos statistiques confirment la tendance évoquée par Influence Communication.

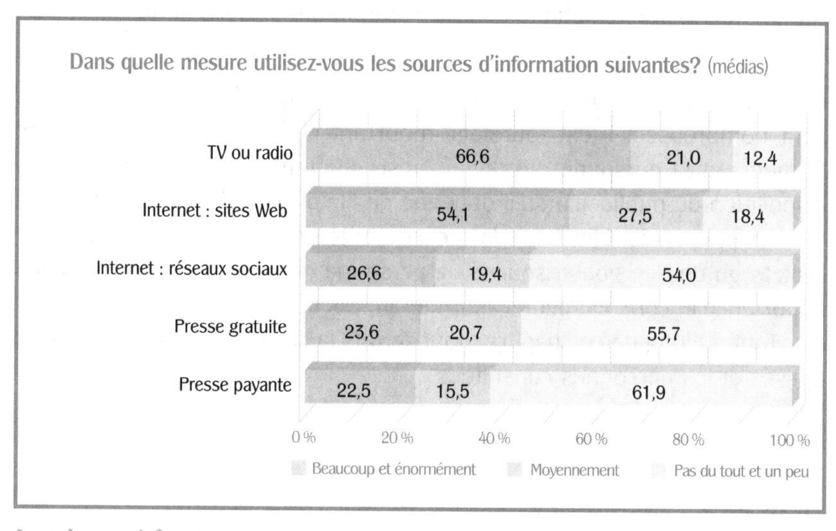

Graphique 18 Utilisation des sources d'information (médias)

Le tableau suivant représente la proportion par groupe d'âge des répondants utilisant beaucoup ou énormément les sources d'information à l'étude.

Source d'information utilisée beaucoup ou énormément	18-24 ans	25-34 ans	35-44 ans	45-54 ans	55-64 ans	65 ans ou plus
Télévision ou radio	46 %	65 %	62 %	74 %	67 %	77 %
Presse payante	15 %	17 %	13 %	22 %	28 %	37 %
Presse gratuite	27 %	25 %	23 %	28 %	21 %	18 %
Internet : sites Web	57 %	65 %	65 %	55 %	45 %	40 %
Internet : réseaux sociaux	50 %	46 %	27 %	19 %	16 %	13 %

Tableau 7 Proportion de chaque groupe d'âge utilisant beaucoup ou énormément les différentes sources d'information

On remarque que les plus jeunes sont ceux qui utilisent le plus Internet et plus particulièrement les réseaux sociaux.

Personnes et organisations consultées

Arrivent en tête des personnes consultées, les amis et la famille (près de 30 % des Québécois les consultent beaucoup ou énormément). Les experts indépendants sont également sollicités puisque 18 % des Québécois les consultent beaucoup ou énormément. Arrivent ensuite avec un taux d'utilisation quasiment identique (aux alentours de 11 % d'utilisation « beaucoup » et « énormément ») le vérificateur général, les groupes d'intérêts publics, les gouvernements provincial ou fédéral et dans une moindre mesure (9 %), les groupes environnementaux. Les personnes les moins souvent consultées pour obtenir de l'information sont les associations industrielles ou sectorielles et les élus locaux.

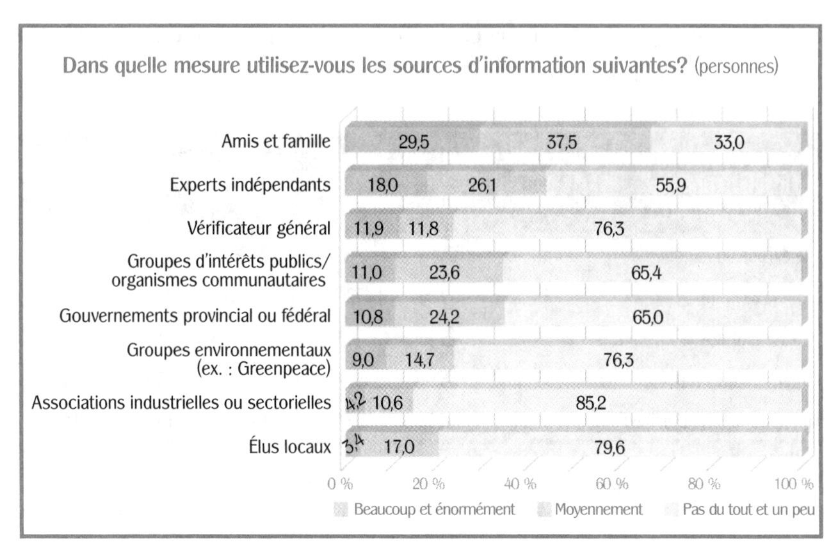

Graphique 19 Utilisation des sources d'information (personnes/organisations)

Influence de la source d'information utilisée sur le niveau de risque perçu et le niveau de confiance dans le gouvernement

La source d'information utilisée a-t-elle une influence sur le niveau de risque perçu? Sur le niveau de confiance dans la gestion par le gouvernement? Le Tableau 8 présente quelques résultats qui illustrent cette influence. Un signe + dans le tableau indique que lorsque les Québécois s'informent beaucoup ou énormément avec un type de média, le niveau de risque perçu pour le projet/enjeu correspondant est significativement plus élevé que ceux qui ne s'informent pas « beaucoup ou énormément » à l'aide de ce média. L'inverse s'applique lorsque le signe dans le tableau est -. Ne sont représentés ici que les résultats significatifs à 5 % (test de Mann-Whitney).

Niveau de risque perçu pour	Source d'information utilisée beaucoup ou énormément				
	TV ou radio	Presse payante	Presse gratuite	Internet : sites Web	Internet : réseaux sociaux
Les inondations			+	+	+
Le chômage			+		+
La pollution de l'eau	+	-	+	+	
La contamination des aliments par les bactéries ou autres microbes			+	+	+
L'exploitation d'une centrale nucléaire		-	+		
La consommation d'aliments contenant des OGM		-	+	+	+
Les problèmes de santé liés au tabac et à l'obésité		-	+	+	+
L'utilisation de la génétique/génomique dans la santé		-	+	+	+
L'exploitation des mines d'amiante		+	+		
La canicule					
Les revenus de retraite	+		+	+	+
La pollution de l'air		-	+	+	+
La vaccination		-	+		
L'état des ponts et viaducs	+		+		
La hausse du coût de la vie	+	-	+		+
Les infections dans les hôpitaux	+			+	
L'utilisation de produits chimiques par les industries	+		+		
L'exploration pour du pétrole dans le Golfe du St-Laurent			+		
L'utilisation des nanotechnologies		-	+		+
Les projets en partenariat public-privé			+		
L'utilisation des engrais / pesticides	+		+		+
La difficulté d'accéder aux services de santé	+				+
L'exploitation des forêts		-	+		+
Le transport de matières dangereuses			+		

Niveau de risque perçu pour	Source d'information utilisée beaucoup ou énormément				
	TV ou radio	Presse payante	Presse gratuite	Internet : sites Web	Internet : réseaux sociaux
Les sites d'enfouissement de déchets domestiques		-	+		+
L'engorgement des urgences dans les hôpitaux	+				+
L'exploration pour du gaz de schiste	+				
L'installation de parc d'éoliennes		-	+	-	
L'utilisation des radiographies médicales		-	+		
Les glissements de terrain		-	+		+

Tableau 8 Influence de la source d'information beaucoup ou énormément utilisée sur le niveau de risque perçu

Les tests statistiques montrent que lorsque les Québécois utilisent beaucoup ou énormément la presse gratuite ou encore les réseaux sociaux sur Internet, le niveau de risque perçu pour la plupart des 30 projets/enjeux à l'étude est significativement plus grand que le niveau de risque perçu par ceux qui ne s'informent pas beaucoup à l'aide de ces médias. À l'inverse, lorsque les Québécois utilisent beaucoup ou énormément la presse payante, le niveau de risque perçu pour la plupart des 30 projets/enjeux à l'étude est significativement plus petit que le niveau de risque perçu par ceux qui ne s'informent pas beaucoup avec la presse payante.

L'utilisation d'Internet (site web et réseaux sociaux) augmente significativement le niveau de risque perçu pour la plupart des 30 projets/enjeux à l'étude

Nous avons fait le même exercice concernant l'influence de la source d'information utilisée sur la confiance dans la gestion par le gouvernement. Un signe - dans le tableau indique que lorsque les Québécois s'informent beaucoup ou énormément avec un type de média, le niveau de confiance dans le gouvernement pour la gestion du projet/enjeu correspondant est significativement plus faible que ceux qui ne s'informent pas « beaucoup ou énormément » à l'aide de ce média (voir Tableau 9).

Les tests statistiques montrent que lorsque les Québécois utilisent beaucoup ou énormément l'Internet que ce soit à travers les sites web ou les réseaux sociaux, le niveau de confiance dans le gouvernement pour la gestion de la plupart des 30 projets/enjeux à l'étude est significativement plus faible que le niveau de confiance accordé par ceux qui ne s'informent pas beaucoup à l'aide d'Internet.

L'utilisation d'Internet (site web et réseaux sociaux) diminue significativement le niveau de confiance dans le gouvernement pour sa gestion de la plupart des 30 projets/enjeux à l'étude

Confiance dans la gestion par le gouvernement pour	Source d'information utilisée beaucoup ou énormément				
	TV ou radio	Presse payante	Presse gratuite	Internet : sites Web	Internet : réseaux sociaux
Les inondations					
Le chômage				-	-
La pollution de l'eau				-	-
La contamination des aliments par les bactéries ou autres microbes				-	
L'exploitation d'une centrale nucléaire					
La consommation d'aliments contenant des OGM	-			-	-
Les problèmes de santé liés au tabac et à l'obésité	+			-	-
L'utilisation de la génétique / génomique dans la santé					
L'exploitation des mines d'amiante		-		-	-
La canicule	+				
Les revenus de retraite			-	-	-
La pollution de l'air				-	
La vaccination	+	-			-
L'état des ponts et viaducs		+		-	
La hausse du coût de la vie				-	-
Les infections dans les hôpitaux	-			-	
L'utilisation de produits chimiques par les industries					
L'exploration pour du pétrole dans le Golfe du St-Laurent				-	
L'utilisation des nanotechnologies					
Les projets en partenariat public-privé				-	
L'utilisation des engrais/pesticides					-
La difficulté d'accéder aux services de santé	-	-		-	-
L'exploitation des forêts			-	-	-
Le transport de matières dangereuses			-		

Confiance dans la gestion par le gouvernement pour	Source d'information utilisée beaucoup ou énormément				
	TV ou radio	Presse payante	Presse gratuite	Internet : sites Web	Internet : réseaux sociaux
Les sites d'enfouissement de déchets domestiques				-	-
L'engorgement des urgences dans les hôpitaux	-	-		-	
L'exploration pour du gaz de schiste					
L'installation de parc d'éoliennes	+	+			
L'utilisation des radiographies médicales	+	+			
Les glissements de terrain					-

Tableau 9 Influence de la source d'information utilisée sur le niveau de confiance accordée au gouvernement

En résumé, on peut donc dire que l'utilisation d'Internet (site web et réseaux sociaux) augmente significativement le niveau de risque perçu et diminue significativement le niveau de confiance accordé dans la gestion par le gouvernement pour la plupart des 30 projets/enjeux à l'étude.

Niveau de confiance dans les sources d'information

Confiance dans les médias

Les médias auxquels les Québécois font le plus confiance sont la télévision et la radio (55 % leur font tout à fait ou plutôt confiance). La presse payante est le 2e média auquel les Québécois font confiance (44 % lui font tout à fait ou plutôt confiance). La presse gratuite fait somme toute bonne figure, puisque 36 % des Québécois lui font tout à fait ou plutôt confiance. Internet (site web) recueille également la confiance du public, puisque près de 40 % des Québécois font confiance à ce média. On note que les Québécois ont une moins grande confiance dans les médias sociaux que dans internet en général (site web).

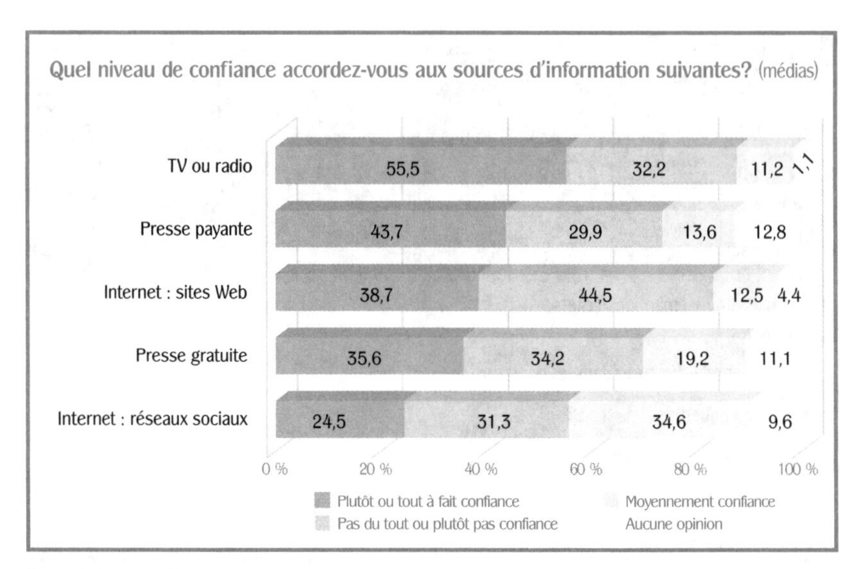

Graphique 20 Niveau de confiance dans les sources d'information (médias)

Confiance dans les personnes et organisations

Le graphique qui suit nous indique que 44,5 % des Québécois ne font pas du tout ou plutôt pas confiance aux associations industrielles et sectorielles comme source d'information. On note également qu'environ 1/3 des Québécois ne fait pas du tout ou plutôt pas confiance aux élus locaux, aux groupes environnementaux et aux gouvernements comme sources d'information.

Les Québécois sont assez partagés toutefois dans la confiance qu'ils accordent à leurs amis et famille, puisqu'environ 2/5 des répondants leur font tout à fait ou plutôt confiance, un autre 2/5 leur font moyennement confiance et le reste ne leur font pas confiance. Les experts indépendants quant à eux sont les personnes en qui les Québécois font le plus confiance en tant que source d'information.

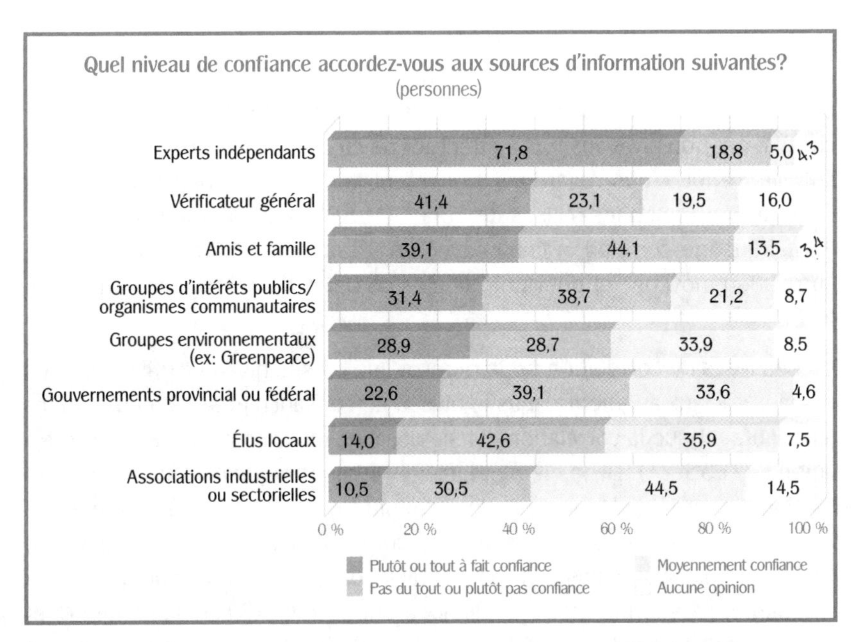

Graphique 21 Niveau de confiance dans les sources d'information (personnes/organisations)

Comparaison du niveau d'utilisation et du niveau de confiance

Il est intéressant de comparer les sources d'information utilisées par les Québécois et la confiance qu'ils leur accordent. Nous avons voulu vérifier s'il existait une relation linéaire significative entre le niveau d'utilisation d'une source d'information et le niveau de confiance que la personne lui accorde. En d'autres mots, nous avons vu que la confiance envers les réseaux sociaux était, d'une manière générale, relativement faible. Mais est-ce que les gens qui utilisent beaucoup ces réseaux ont davantage confiance que ceux qui les utilisent peu?

Nous avons réalisé des tests de corrélation. Ces tests cherchent à déterminer l'absence ou la présence d'une relation linéaire significative entre les variables. Une mesure de cette corrélation est obtenue par le calcul du coefficient de corrélation linéaire. Le coefficient de corrélation est compris entre -1 et 1. Les variables peuvent ainsi être associées positivement ($r > 0$) ou négativement ($r < 0$) ou ne pas être associées du tout ($r = 0$). Pour la corrélation, nous n'avons pas à effectuer de calcul particulier pour connaître la taille d'effet. Nous regardons seulement la valeur du coefficient et nous l'interprétons selon les balises de Cohen (1988) : avec un r autour de 0,10, il s'agira d'une corrélation faible, avec un r autour de 0,30, il s'agira d'une corrélation moyenne et pour un r de plus de 0,50, il s'agira d'une corrélation forte.

Un des tests de corrélation nous montre que plus le niveau d'utilisation des réseaux sociaux augmente, plus le niveau de confiance pour ce même média augmente, et que la corrélation est significative (avec un coefficient de corrélation r = 0,355**). De la même manière, on montre que plus le niveau d'utilisation d'Internet (sites web) augmente, plus le niveau de confiance pour ce même média augmente, et que la corrélation est significative (r = 0,299**). On montre aussi que plus le niveau d'utilisation de la télévision ou de la radio augmente, plus le niveau de confiance pour ce même média augmente, et que la corrélation est significative (r = 0,339**).

La section précédente faisait ressortir que la confiance dans les amis/famille était assez partagée. Y-a-t-il un lien entre le niveau d'utilisation de ses amis/famille comme source d'information et le niveau de confiance qu'on leur accorde? Un test de corrélation nous montre que plus le niveau d'utilisation de la famille et de ses amis comme source d'information augmente, plus le niveau de confiance pour ces mêmes personnes augmente, et que la corrélation est significative (r = 0,437**).

Pour conclure sur les médias, il a été montré que les Québécois utilisent les médias en qui ils ont confiance. Toutefois, les Québécois ont une très grande confiance dans les experts, et pourtant ils les utilisent peu comme source d'information. On peut donc penser qu'il s'agit ici davantage d'une question de disponibilité plutôt que de choix réel d'un type de média, fait par la population.

Acceptabilité sociale de 30 projets et enjeux au Québec

Acceptabilité sociale de 30 projets et enjeux au Québec

Un risque acceptable est un risque dont les caractéristiques (fréquence ou intensité du danger, gravité, niveau de perte, conséquences sociales, économiques, politiques, culturelles, techniques et environnementales) sont considérées comme acceptables (et donc, prêtes à être assumées) par l'individu, la communauté ou la société qui y est soumis (Breysse, 2009). D'autres études ont montré qu'une population est plus apte à accepter un projet si elle perçoit un bénéfice économique ou si elle se sent dépendante économiquement du projet (Krewski *et al.*, 2006). Ainsi, pour simplifier, une situation peut être considérée comme présentant un risque acceptable dès lors que les bénéfices qu'elle apporte sont supérieurs aux risques (Kouabenan, *et al.*, 2006). Il existe néanmoins d'autres facteurs qui ont une influence sur l'acceptabilité du risque. Nous allons, dans ce chapitre, voir par exemple, si le niveau de risque perçu ou le niveau de confiance dans le gouvernement influence l'acceptabilité sociale d'un projet.

Dans notre enquête, nous voulions évaluer l'acceptabilité de certains enjeux, en nous basant sur la différence entre la quantification des risques et des bénéfices. Pour cette question, nous avons uniquement considéré les enjeux pour lesquels, les répondants peuvent mesurer (ou qualifier) à la fois un risque et un bénéfice. En effet, il est inconcevable d'évaluer les bénéfices d'un événement négatif (ex. : inondations, problèmes de santé liés au tabac et à l'obésité). Ainsi, si l'on prend l'exemple de la vaccination, le répondant devra mettre en parallèle les bénéfices à la fois pour lui et pour la société (disparition de maladies graves, immunisation, etc.), avec les risques reliés au vaccin (effets indésirables pouvant aller jusqu'au décès). Compte tenu de ces conditions, nous n'avons retenu que 15 projets/enjeux pour vérifier leur niveau d'acceptabilité sociale par la population (voir tableau à la page suivante).

Projets/Enjeux
L'utilisation des engrais/pesticides
L'exploitation des mines d'amiante
L'exploration pour du gaz de schiste
L'exploitation d'une centrale nucléaire
La consommation d'aliments contenant des OGM
L'utilisation de la génétique/génomique dans la santé
Le transport de matières dangereuses
L'utilisation des radiographies médicales
L'utilisation des nanotechnologies
La vaccination
Les sites d'enfouissement de déchets
L'exploration pour du pétrole
L'installation de parc d'éoliennes
L'exploitation des forêts
L'utilisation de produits chimiques par les industries

Tableau 10 Liste des projets/enjeux retenus pour évaluer le niveau d'acceptabilité

Les projets perçus comme les moins socialement acceptables par la population

Le graphique suivant permet de constater que pour les 2/3 des 15 projets retenus, les Québécois sont en moyenne opposés.

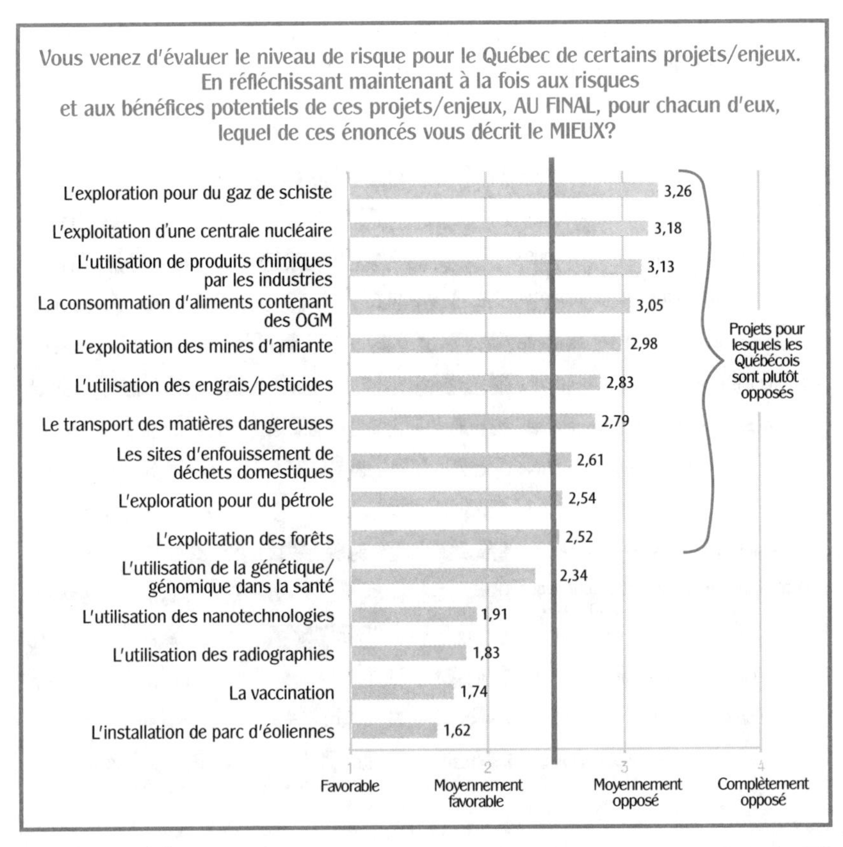

Graphique 22 Acceptabilité sociale de 15 projets/enjeux au Québec (1/2)

> *Les 3 projets/enjeux les moins acceptés socialement :*
> - *Les centrales nucléaires*
> - *L'exploration pour du gaz de schiste*
> - *L'utilisation des produits chimiques par les industries*

Une autre représentation graphique permet d'exposer différemment les réponses à la question. Ainsi, on s'aperçoit que pour près de la moitié des projets proposés dans le questionnaire, seulement 6 % ou moins des Québécois y sont favorables. Près de la moitié de la population québécoise est complètement opposée à l'exploitation d'une centrale nucléaire et à l'exploration pour du gaz de schiste. Par contre, près de la moitié des Québécois sont favorables à la vaccination et à l'installation de parc d'éoliennes. Ainsi, un projet d'énergie renouvelable telle que les éoliennes recueille un avis favorable de plus de la moitié des Québécois interrogés.

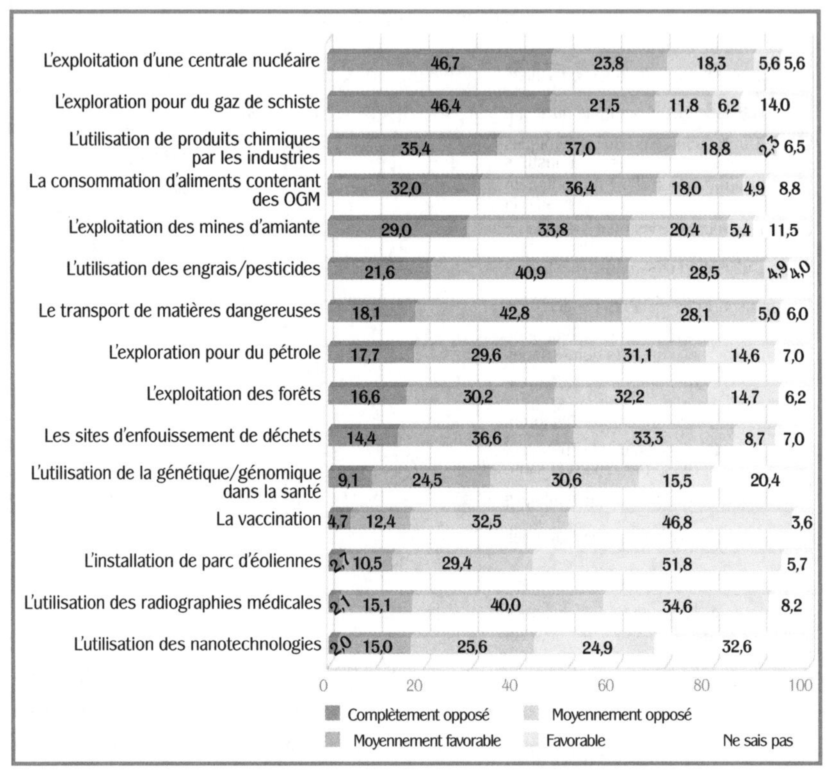

Graphique 23 Répartition de l'acceptabilité sociale de 15 projets/enjeux au Québec (2/2)

Ces statistiques sur l'énergie éolienne rejoignent celles d'autres sondages d'opinion internationaux (p.ex. les sondages Eurobaromètre de la Commission Européenne (2012)), pour lesquels les répondants sont en général favorables aux énergies renouvelables. Cependant, un rapport de Maya Jegen (2008), mandaté par Ressources naturelles Canada souligne que ces résultats positifs peuvent induire les décideurs politiques et économiques en erreur en leur suggérant que l'acceptation sociale ne pose aucun problème. Toutefois, si l'on passe du niveau abstrait du soutien des politiques et technologies renouvelables au niveau concret des investissements et du choix des sites, il devient apparent que ni le soutien du public ni celui des parties prenantes ne va de soi.

Il est toutefois pertinent de mentionner que 14 % des Québécois ne savent pas s'ils sont favorables ou non à un projet d'exploration pour du gaz de schiste, et que ce pourcentage passe à 20,4 % lorsqu'il s'agit de prendre position sur l'acceptabilité de l'utilisation de la génétique/génomique dans la santé, et même à 32,6 % lorsqu'il s'agit des nanotechnologies. Ces statistiques suivent logiquement les statistiques sur le niveau de risque perçu et sur le niveau de confiance dans le gouvernement. En effet, notre enquête faisait ressortir que 31 % des répondants ne connaissaient pas le niveau de risque associé aux nanotechnologies et 14 % le niveau de risque associé à l'utilisation de la génétique/génomique dans la santé. Également, 29 % des répondants n'avaient aucune opinion sur le niveau de confiance envers le gouvernement pour sa gestion des nanotechnologies et 15 % pour sa gestion de l'utilisation de la génétique/génomique dans la santé.

Est-ce que l'acceptabilité sociale dépend du niveau de risque perçu et/ou du niveau de confiance dans le gouvernement?

Il nous a paru intéressant de chercher à savoir pour quelles raisons les Québécois sont opposés à tel ou tel projet ou enjeu. Est-ce parce qu'ils perçoivent un niveau de risque élevé? Ou est-ce plutôt parce qu'ils n'ont pas confiance dans le gouvernement pour la gestion de ce projet/enjeu? Ou encore à cause d'une combinaison des deux effets : niveau de risque perçu élevé et niveau de confiance faible?

Pour répondre à cette question, reprenons notre matrice du chapitre 4 en illustrant le niveau de risque perçu et le niveau de confiance. Notons cependant que nous n'avons conservé que les 15 projets/enjeux pour lesquels les répondants peuvent avoir une position sur une échelle d'acceptabilité sociale. Sont en noir les projets/enjeux auxquels les Québécois sont opposés le plus fortement et en bleu, les projets/enjeux auxquels ils sont opposés mais à un degré moindre. Le graphique obtenu permet de conclure que tous les projets/enjeux auxquels les Québécois sont opposés, excepté les centrales nucléaires, se retrouvent dans la section de la matrice correspondant à une perception de risque élevé et un niveau de confiance faible.

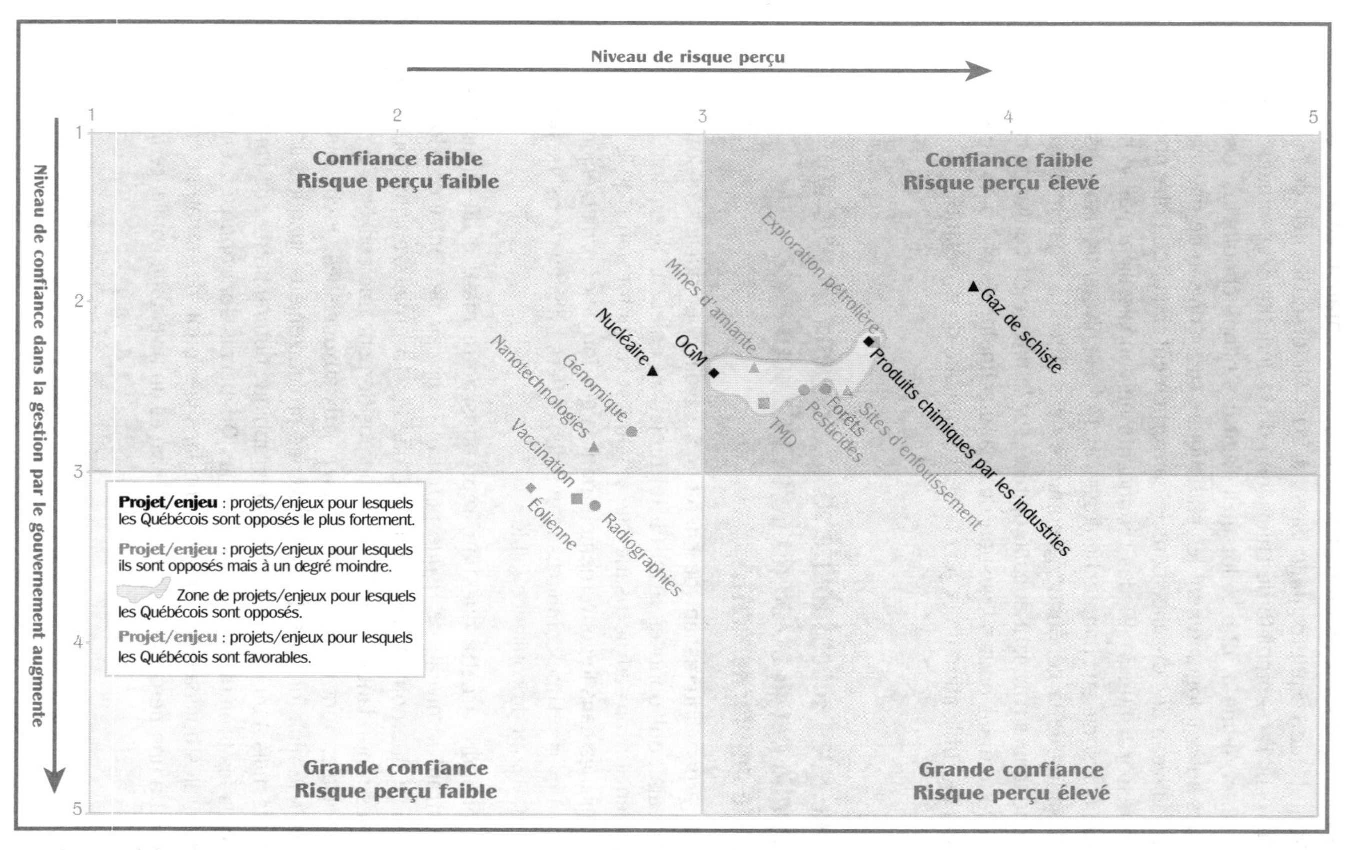

Graphique 24 Positionnement dans la matrice Risque/Confiance des 15 projets/enjeux pour lesquels le niveau d'acceptabilité a été coté

Existe-t-il une relation entre le niveau d'acceptabilité des projets et respectivement le niveau de risque perçu et le niveau de confiance dans leur gestion par le gouvernement? Un test de corrélation nous montre que plus le niveau de risque perçu pour l'exploration pour du gaz de schiste augmente, plus le niveau d'opposition pour ce même projet augmente, et que la corrélation est significative (avec un coefficient de corrélation r = 0,668). Il en est de même lorsque l'on fait le même test mais en utilisant cette fois le niveau de confiance dans la gestion des gaz de schiste par le gouvernement. Ainsi, plus le niveau de confiance augmente, plus le niveau d'acceptabilité augmente (avec un coefficient r = -0,569).

Les mêmes effets ressortent des tests de corrélations lorsque l'on examine les projets d'exploitation d'une centrale nucléaire, de l'utilisation des produits chimiques par les industries[11] ou encore pour la consommation d'OGM. Ainsi, de façon statistiquement significative,

- plus le niveau de risque perçu pour l'exploitation d'une centrale nucléaire augmente, plus le niveau d'opposition augmente,
- plus le niveau de risque perçu pour l'utilisation de produits chimiques par les industries augmente, plus le niveau d'opposition augmente,
- plus le niveau de risque perçu pour la consommation d'OGM augmente, plus le niveau d'opposition augmente,
- plus le niveau de confiance pour l'exploitation d'une centrale nucléaire, l'utilisation des produits chimiques par les industries ou encore la consommation d'OGM augmente, plus le niveau d'acceptabilité pour ces mêmes projets respectivement augmente.

Les réactions de la population face à 2 grands projets au Québec : centrale nucléaire et campagne de vaccination

Une question de l'enquête permettait de qualifier la réaction que pouvaient avoir les Québécois vis-à-vis de deux situations : la première, la construction

11. Il est à noter toutefois que les corrélations sont quelque peu plus faibles (r autour de 0,3) pour la relation entre l'acceptabilité et respectivement la confiance et le niveau de risque pour le cas de l'utilisation des produits chimiques par les industries.

d'une nouvelle centrale nucléaire au Québec, et l'autre une campagne de vaccination obligatoire. Nous allons aborder successivement l'une et l'autre de ces situations.

Annonce de la construction d'une nouvelle centrale nucléaire

L'exploitation d'une centrale nucléaire représente selon nos répondants un projet moyennement risqué mais pour lequel la confiance dans sa gestion par le gouvernement est très faible. 46,7 % des Québécois sont complètement opposés à l'exploitation d'une centrale nucléaire. Lorsque l'on y ajoute ceux qui y sont moyennement opposés, c'est plus de 70 % des Québécois qui ne sont pas favorables. Comment leur opposition à ce genre de projet se matérialise en réalité? Que seraient-ils prêts à faire en réaction à la construction d'une nouvelle centrale au Québec?

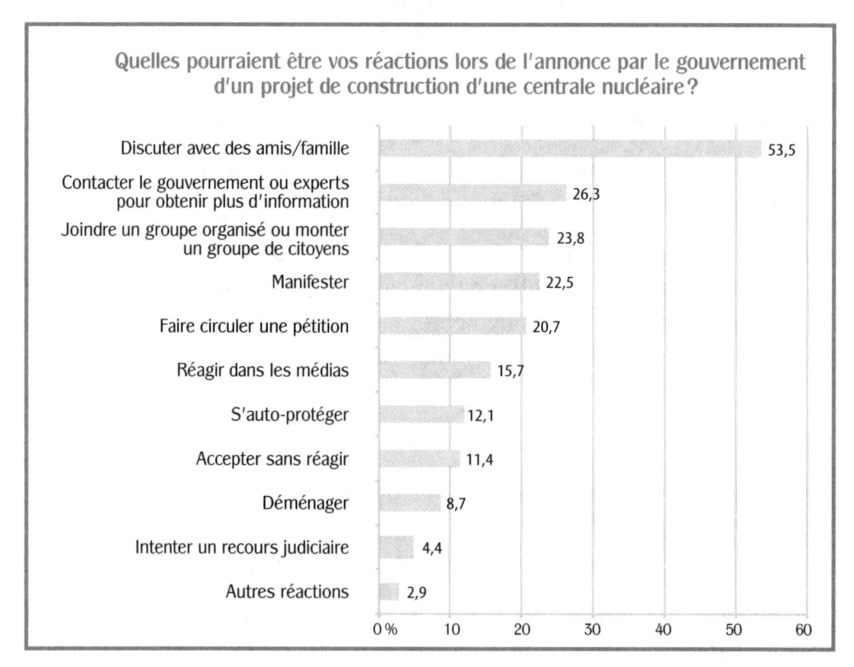

Graphique 25 Réactions après l'annonce d'un projet de construction d'une centrale nucléaire

Bien que seulement 5,6 % des répondants aient affirmé être favorables à l'exploitation d'une centrale nucléaire, 11,4 % accepteraient sans réagir la construction d'une nouvelle centrale. Plus de la moitié des Québécois vont discuter de ce projet avec leurs amis ou leur famille. Près du quart de la population a affirmé qu'elle manifesterait, ferait circuler une pétition ou encore réagirait dans les médias (environ 7 % ont affirmé être prêt à faire l'ensemble de ces trois dernières actions). 4,4 % de la population intenteraient un recours judiciaire contre la construction de la centrale et près de 9 % de la population seraient prête à déménager. Précisons de plus que l'emplacement exact de la centrale n'a pas été précisé dans la question. Cela donne d'autant plus de poids aux réponses qui ne peuvent pas être considérées uniquement comme une manifestation du syndrome « pas dans ma cour » ou NIMBY (Marchetti, 2005).

8,7 % des Québécois interrogés déménageraient si le gouvernement annonçait la construction d'une nouvelle centrale nucléaire au Québec

Annonce par le gouvernement d'une campagne de vaccination obligatoire

À l'inverse du projet précédent concernant le nucléaire, les Québécois sont pour moitié favorables à la vaccination et seulement 4,7 % y sont complètement opposés. Les répondants considèrent la vaccination comme un projet peu risqué et pour lequel ils font confiance au gouvernement. Est-ce que les réactions que les Québécois auraient suite à l'annonce par le gouvernement d'une campagne de vaccination obligatoire sont en adéquation avec leur niveau d'acceptabilité du projet?

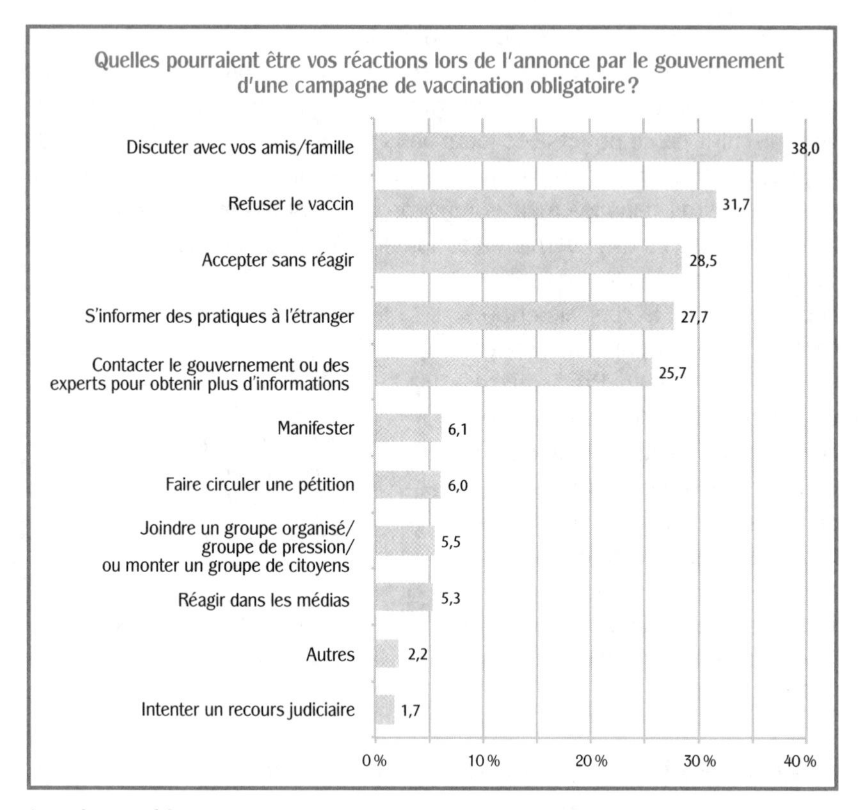

Graphique 26 Réactions après l'annonce d'une campagne de vaccination obligatoire

Malgré le fait qu'une grande partie des répondants se montraient favorables à la vaccination, on constate ici qu'ils seraient plus de 30 % à refuser le vaccin, alors que seulement 28 % l'accepteraient sans réagir. Parmi ceux se montrant favorables ou moyennement favorables à la vaccination, 24,1 % ont affirmé vouloir refuser le vaccin en cas de campagne obligatoire de vaccination massive. Néanmoins, un t-test réalisé sur ces deux variables montre que ceux qui sont socialement opposés refusent significativement plus souvent le vaccin.

	Favorable ou moyennement favorable à la vaccination n = 896	Opposé ou complètement opposé à la vaccination n = 193	p[1]
Proportion des répondants ayant affirmé vouloir refuser le vaccin	24 %	64 %	0,000****
Proportion des répondants ayant affirmé vouloir accepter le vaccin	33 %	8 %	0,000****

1. t-test
* $p < 0,1$; ** $p < 0,05$; *** $p < 0,001$; **** $p < 0,0001$

Tableau 11 Proportion des répondants ayant affirmé vouloir refuser le vaccin advenant une campagne obligatoire

Un autre test statistique confirme, que de façon significative, ceux qui sont favorables à la vaccination acceptent plus souvent le vaccin sans réagir (avec un $p = 0,0001$).

De la même façon que pour le projet de construction de la centrale nucléaire, la réaction la plus populaire est celle d'aller discuter du projet avec ses amis ou sa famille. On constate cependant ici que la réaction « négative » majoritaire est une réaction individuelle (refuser le vaccin), alors que chacune des réactions négatives collectives (manifester, faire circuler une pétition, monter un groupe de citoyen, réagir dans les médias) n'est utilisée que par 6 % des Québécois[12].

12. Il a été vérifié que la moitié des Québécois ayant coché « manifester » comme réaction à la vaccination, ont également coché « faire circuler une pétition », « joindre un groupe organisé » et « réagir dans les médias ». De la même façon, la moitié des Québécois ayant coché faire circuler une pétition, ont également coché réagir dans les médias.

Analyse détaillée d'enjeux spécifiques au Québec

7 Analyse détaillée d'enjeux spécifiques au Québec

Introduction

Différents enjeux propres au Québec vont être détaillés dans ce chapitre. Ainsi, seront traités à la fois des sujets d'actualité, tels les problèmes reliés au système de santé, les gaz de schiste, le nucléaire mais également des sujets dont on entend peu parler, mais qui peuvent inquiéter, tels que les nouveaux risques reliés aux nanotechnologies ou encore à la génomique. Voici par ordre d'apparition dans le chapitre, la liste des projets et enjeux qui vont être analysés :

Analyse n° 1 : L'engorgement dans les urgences et la difficulté d'accéder aux services de santé

Analyse n° 2 : la vaccination

Analyse n° 3 : L'état des ponts et des viaducs

Analyse n° 4 : l'exploitation d'une centrale nucléaire

Analyse n° 5 : l'exploration pour du gaz de schiste

Analyse n° 6 : les projets en partenariat public-privé

Analyse n° 7 : les risques émergents

(reliés à l'utilisation des nanotechnologies, de la génétique/génomique dans la santé et à la consommation d'OGM)

Le niveau de risque perçu de chacun de ces enjeux et le niveau de confiance dans le gouvernement pour la gestion de chacun d'eux (toutes deux variables dépendantes) seront expliqués par des variables endogènes (préoccupations au niveau collectif, sources d'information consultées, confiance dans les différentes sources d'information, connaissance du BAPE, utilité et composition de structure pluraliste d'aide à la décision) et des variables exogènes (variables sociodémographiques caractérisant chacun des répondants de l'enquête). Les variables sociodémographiques qui ont été incluses dans notre étude sont : la région d'habitation, le sexe, l'âge, la langue maternelle, l'occupation principale actuelle, le revenu total du foyer, la présence d'enfants au sein du foyer, le niveau de scolarité, l'origine ethnique et finalement le statut marital.

Voici la structure récursive du modèle économétrique utilisé :

CONFIANCE DANS LE GOUVERNEMENT = fonction de (variables sociodémographiques, sources d'information)

PERCEPTION DU NIVEAU DE RISQUE = fonction de (variables sociodémographiques, sources d'information, confiance dans le gouvernement)

PRÉOCCUPATION = fonction de (variables sociodémographiques, sources d'information, confiance dans le gouvernement, perception du niveau de risque)

ACCEPTABILITÉ = fonction de (variables sociodémographiques, sources d'information, confiance dans le gouvernement, perception du niveau de risque, préoccupation)

Pour chaque enjeu étudié, les sections présentées vont suivre le modèle récursif présenté ci-dessus. Seront ainsi étudiés dans l'ordre :

(1) **Confiance dans le gouvernement**. Nous tenterons d'expliquer le niveau de confiance en fonction de l'ensemble des variables sociodémographiques et des sources d'information utilisées.

(2) **Perception du niveau de risque.** Nous tenterons d'expliquer le niveau de risque perçu en fonction de l'ensemble des variables sociodémographiques, des sources d'information utilisées et du niveau de confiance dans le gouvernement.

(3) **Préoccupation.** Nous tenterons d'expliquer les préoccupations en fonction de l'ensemble des variables sociodémographiques, des sources d'information utilisées, du niveau de confiance dans le gouvernement et du niveau de risque perçu.

(4) **Acceptabilité.** Nous tenterons d'expliquer les préoccupations en fonction de l'ensemble des variables sociodémographiques, des sources d'information utilisées, du niveau de confiance dans le gouvernement, du niveau de risque perçu et des préoccupations.

Par ailleurs, au sein de chacune de ces sections, deux analyses seront présentées.

(a) En premier lieu, certains résultats statistiques issus de tests de Student seront montrés afin de faire émerger des tendances dans les déterminants soit du niveau de risque perçu ou du niveau de confiance dans le gouvernement. Le test de Student est un test paramétrique qui permet de comparer les moyennes de deux échantillons statistiques. Pour les variables indépendantes possédant plus de deux états, des tests ANOVA[13] ont été réalisés.

(b) À la suite de cela, les résultats des modèles économétriques, probit[14] ou probit ordonné, sont exposés. Les analyses économétriques sont basées sur le modèle récursif. Un modèle probit est un type de régression qui permet de montrer une relation de dépendance entre une variable à expliquer (variable dépen-

13. Ce test a été utilisé lorsque les variances étaient homogènes, sinon, dans le cas contraire, nous utilisions la statistique associée à la correction de Brown-Forsythe. Le test ANOVA nous indique qu'il existe des différences entre les groupes, mais ne précise pas où sont situées ces différences. Pour remédier à la situation, nous avons fait des tests post hoc avec la comparaison de Bonferonni (nous avons choisi des tests post hoc de Bonferroni étant donné que cette méthode ne requiert pas que les tailles d'échantillons soient égales et que le nombre de comparaisons à faire n'est pas très grand), qui permettent alors de nous signifier entre quels groupes se situe(nt) la ou les différences significatives.

14. Nous avons choisi des modèles probit ordonné étant donné que nous étions en présence de variables dépendantes qualitatives qui étaient polychotomiques, ordinales et non continues. Les variables indépendantes des modèles probit sont toutes des variables dichotomiques binaires. Pour faire ces modèles économétriques, le logiciel STATA 10.0 a été utilisé. Rappelons également que les modèles présentés ont tous été réalisés avec une base de données pondérée.

dante) et une série de variables explicatives (variables indépendantes). Là réside la différence fondamentale entre les tests de Student et les modèles probit : pour le premier, les variables indépendantes sont considérées séparément alors que pour le second, l'ensemble des variables indépendantes sont prises en compte simultanément. Dans le modèle probit, la variable dépendante peut uniquement prendre 2 valeurs, par exemple, 1 = préoccupé par les risques reliés aux infrastructures de transport ou 0 = pas préoccupé par les risques reliés aux infrastructures de transport. Dans un modèle probit ordonné, la variable dépendante peut prendre plusieurs valeurs ordinales, par exemple 0 = plutôt pas ou pas confiance, 1 = confiance moyenne, 2 = plutôt ou tout à fait confiance.

Analyse n° 1 : l'engorgement dans les urgences et la difficulté d'accéder aux services de santé

Au Québec, le système de santé jouit des principes fondamentaux que sont l'universalité, l'équité et l'administration publique. Le système de santé québécois est public, ce qui signifie que l'État agit comme principal assureur et administrateur, et que le financement est assuré par la fiscalité générale. Ceci devrait permettre d'assurer l'accessibilité aux soins, peu importe le niveau de revenus du patient. Malgré ces principes, 35 % des Québécois sont préoccupés au niveau collectif par le système de santé (50 % sont préoccupés au niveau personnel), ce qui en fait la 2e source de préoccupation des Québécois.

En outre, 82 % des Québécois perçoivent un risque grand ou très grand relativement à l'engorgement dans les urgences des hôpitaux et 77 % perçoivent un risque grand ou très grand relativement à la difficulté d'accéder aux services de santé. Ces risques font partie du Top 3 des risques perçus comme les plus élevés selon les Québécois.

Dans cette section, nous allons exposer à la fois le risque relié à l'engorgement des urgences dans les hôpitaux et le risque relié à la difficulté d'accéder aux services de santé.

Confiance dans la gestion par le gouvernement

74 % des Québécois ne font « plutôt pas » ou « pas confiance » au gouvernement pour la gestion de l'engorgement dans les urgences des hôpitaux et 69 % pour la gestion relative à la difficulté d'accéder aux services de santé. Ces enjeux font partie du Top 3 des enjeux suscitant le moins bon niveau de confiance dans le gouvernement de la part des Québécois.

Pour ces deux enjeux, des différences de confiance dans le gouvernement existent selon les individus. Dans la suite de ce chapitre, on entendra par confiance faible dans le gouvernement, les réponses au questionnaire correspondantes à « plutôt pas » ou « pas confiance ». Les femmes sont plus nombreuses que la moyenne à accorder une confiance faible au gouvernement pour la gestion de l'accès aux services de santé (73 % d'entres elles n'ont « plutôt pas » ou « pas confiance » dans le gouvernement contre 66 % pour les hommes avec $p = 0,007$). Les répondants avec des enfants de moins de 18 ans sont plus nombreux que la moyenne à avoir une confiance faible dans le gouvernement relativement à des enjeux relatifs au système de santé : 78 % d'entre eux n'ont « plutôt pas » ou « pas confiance » dans le gouvernement relativement à l'engorgement dans les urgences (contre 72 % pour les répondants sans enfant, $p = 0,051$) et 74 % relativement à l'accès au système de santé (67 % pour les répondants sans enfant avec $p = 0,014$). De la même façon, les répondants de langue maternelle anglophone sont 77 % à n'avoir « plutôt pas » ou « pas confiance » dans le gouvernement pour sa gestion de l'accès aux services de santé (contre 61 % des répondants allophones ($p = 0,031$)). Également, les gestionnaires/propriétaires/administrateurs sont seulement 41 % à accorder une confiance faible au gouvernement pour l'engorgement dans les urgences (contre 75 % des Québécois qui ne travaillent pas ($p = 0,0001$), 76 % des employés[15] ($p = 0,0001$), 69 % des ouvriers ($p = 0,008$), et 91 % des travailleurs des sciences et de la technologie ($p = 0,0001$)). Les mêmes constats sont également visibles lorsque l'on regarde la confiance dans le gouvernement pour la gestion de l'accès aux services de santé (ainsi, les gestionnaires/propriétaires/administrateurs sont significativement les moins nombreux (à hauteur de 23 %) à accorder une confiance faible au gouvernement pour cet enjeu).

15. Le terme « employé » correspond au regroupement des occupations suivantes : employés de bureau, personnel spécialisé dans la vente, personnel spécialisé dans les services et professionnel.

Un probit ordonné (0 = plutôt pas ou pas confiance, 1 = confiance moyenne, 2 = plutôt ou tout à fait confiance) d'une part sur la variable engorgement dans les urgences et d'autre part sur la variable difficulté d'accès aux services de santé, offre un éclairage complémentaire pour expliquer la perception des répondants relativement à la confiance dans le gouvernement pour gérer le système de santé au Québec.

Nous allons voir dans la section suivante qu'avoir une formation universitaire et être un travailleur des sciences et technologies augmentent la probabilité de percevoir un risque négligeable relativement à l'engorgement dans les urgences mais augmentent la probabilité de ne pas avoir confiance dans le gouvernement pour ce même enjeu. En outre, être gestionnaire administrateur ou propriétaire d'une compagnie et juger très utile une structure pluraliste (regroupant des experts scientifiques venant de différents milieux) pour évaluer et faire des recommandations sur des situations à risque, augmente la probabilité de faire confiance au gouvernement pour la gestion des urgences.

Pour ce qui est des différences dans la confiance dans le gouvernement pour gérer l'accès aux services de santé, l'analyse économétrique confirme que les hommes, ceux qui jugent très utile une structure pluraliste, ceux qui utilisent beaucoup la presse payante et les étudiants ont une plus grande probabilité de faire confiance au gouvernement pour cet enjeu. À l'inverse, les répondants qui ont des enfants de moins de 18 ans ont une plus grande probabilité de faire « plutôt pas confiance » ou « pas du tout confiance » au gouvernement pour la gestion de l'accès aux services de santé.

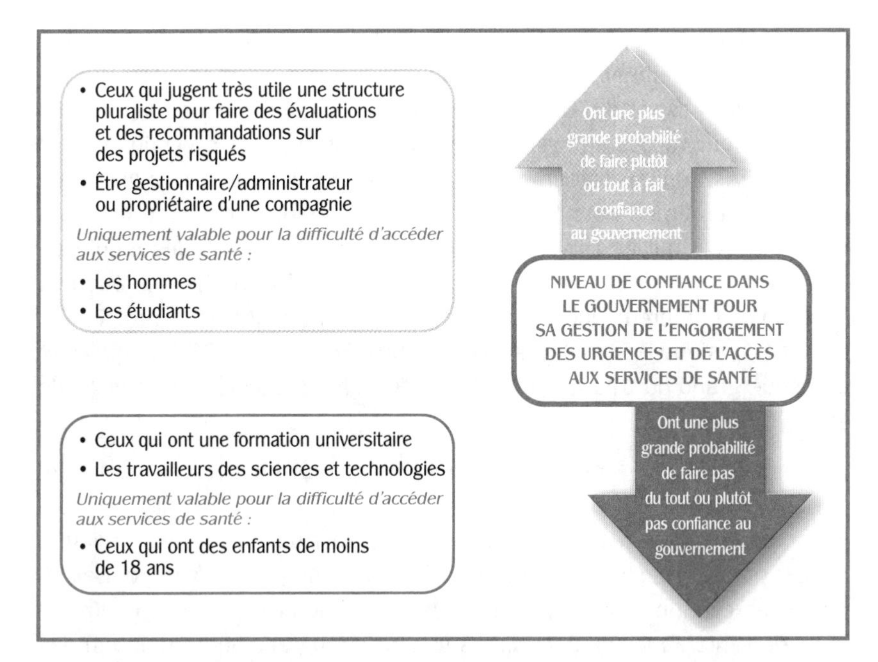

Figure 1 Résultats de l'analyse de type probit ordonné sur le niveau de confiance accordée au gouvernement pour sa gestion de l'engorgement des urgences dans les hôpitaux et des difficultés d'accès aux services de santé

Perception du niveau de risque

82 % des Québécois perçoivent un risque grand ou très grand relativement à l'engorgement dans les urgences des hôpitaux. Ils sont également nombreux, 77 %, à percevoir un risque grand ou très grand relié à la difficulté d'accéder aux services de santé. Ces risques font partie du Top 3 des risques perçus comme les plus élevés selon les Québécois.

Pour ces deux risques, des différences de perception existent selon les individus. Ainsi, les femmes sont plus nombreuses que la moyenne à considérer des risques élevés relativement à des enjeux relatifs au système de santé : 89 % d'entre elles considèrent un risque grand ou très grand relativement à l'engorgement dans les urgences (contre 74 % pour les hommes, $p = 0,0001$) et 84 % pour l'accès au système de santé (contre 69 % pour les hommes avec p = 0,0001). Les jeunes (18-34 ans) sont les moins nombreux significativement à percevoir un niveau de risque grand ou très grand pour ces deux aspects (76 % perçoivent un risque élevé pour les urgences et 71 % pour l'accès au système). De la même façon, les gestionnaires/propriétaires/administrateurs sont seulement 52 % à percevoir un risque grand ou très grand pour l'engorgement dans les urgences (contre 83 % des québécois qui ne travaillent pas (p = 0,0001), 85 % des employés (p = 0,0001) et 78 % des ouvriers (p = 0,006)). Par contre, les ouvriers sont moins nombreux que ceux qui ne travaillent pas (62 % contre 79 %, p = 0,003) et que les employés (62 % contre 79 %, p = 0,005) à percevoir un risque grand ou très grand relié à la difficulté d'accéder aux services de santé.

Une analyse de type probit ordonné (0 = risque négligeable ou faible, 1 = risque moyen, 2 = risque grand ou très grand) d'une part sur la variable engorgement dans les urgences et d'autre part sur la variable difficulté d'accès aux services de santé offre un éclairage complémentaire pour expliquer la perception des répondants relativement au niveau de risque du système de santé au Québec. Dans les deux cas (engorgement ou accès), les hommes et les jeunes (âgés de 18 à 34 ans) sont davantage susceptibles de se retrouver dans la catégorie de ceux qui perçoivent un risque négligeable ou faible. Plus précisément, la régression (probit ordonné) confirme qu'avoir une formation universitaire ou être un travailleur des sciences et technologies augmente la probabilité de percevoir un risque négligeable relativement à l'engorgement dans les urgences. À l'inverse, les Québécois utilisant beaucoup la télévision ou la radio comme source d'information ainsi que ceux qui ne font pas confiance au gouvernement pour la gestion de l'engorgement dans les urgences ont une probabilité plus grande de percevoir le risque associé à l'engorgement dans les urgences comme grand ou très grand. La même relation émerge aussi de l'analyse économétrique pour la difficulté d'accéder aux services de santé, sauf que ce n'est plus l'utilisation accrue de la télévision ou la radio qui explique la perception du risque relatif à la difficulté d'accès aux services de santé mais l'utilisation accrue de la presse gratuite.

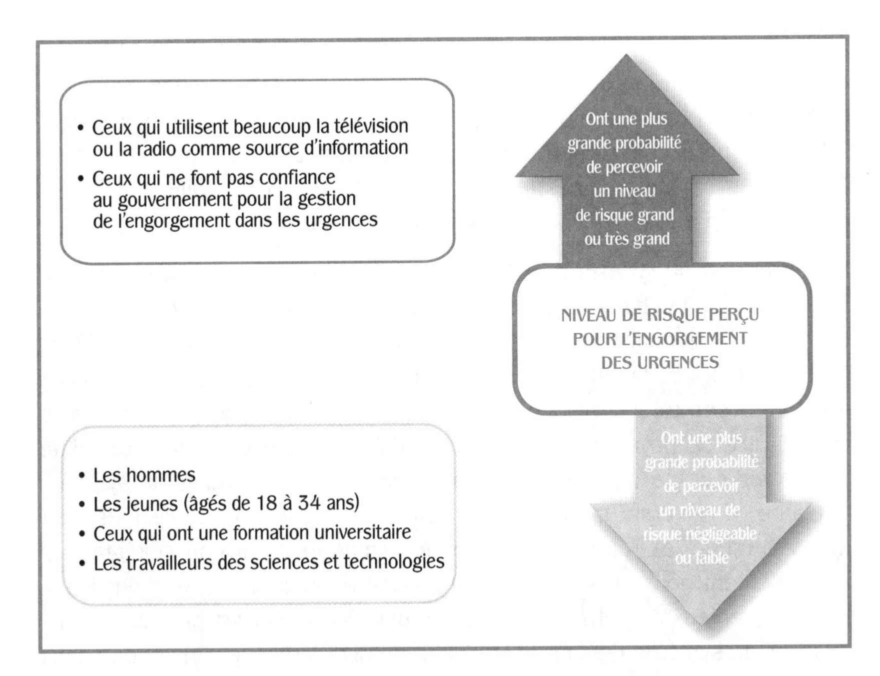

Figure 2 Résultats de l'analyse de type probit ordonné sur le niveau de risque perçu pour l'engorgement des urgences dans les hôpitaux

Préoccupations relatives aux risques reliés au système de santé

Nous allons présenter ici quelques statistiques relatives aux préoccupations des Québécois concernant les risques reliés au système de santé, étant donné que cette catégorie de préoccupations englobe les deux enjeux traités ici, à savoir l'engorgement dans les urgences ainsi que la difficulté d'accéder aux services de santé.

35 % des Québécois sont préoccupés au niveau collectif par le système de santé (50 % sont préoccupés pour eux-mêmes), ce qui en fait la 2e source de préoccupation des Québécois. Cette proportion monte à 41 % pour les répondants ayant des enfants de moins de 18 ans (contre 32 % pour ceux qui n'en ont pas avec un $p = 0{,}004$). Les Québécois ayant atteint une scolarité de niveau collégial sont aussi 41 % à être préoccupés au niveau collectif par le système de santé (contre 30 % des répondants avec une formation de niveau secondaire ($p = 0{,}003$)).

À l'inverse, les répondants avec un revenu total pour le foyer de 40 000 $ et moins (29 % sont préoccupés contre 39 % des répondants avec un revenu de 80 000 $ et plus ($p = 0{,}068$)), et les répondants allophones (seulement 16 % sont préoccupés contre 36 % pour les francophones ($p = 0{,}0001$) et 38 % pour les anglophones ($p = 0{,}001$)) sont de façon significative moins préoccupés par les risques reliés au système de santé.

La régression de type probit (1 = préoccupé ; 0 = pas préoccupé par le risque) offre un éclairage complémentaire pour expliquer la préoccupation des répondants relativement aux risques reliés au système de santé. Ainsi, les répondants de langue maternelle autre que le français et l'anglais, ceux avec un revenu total familial de 40 000 $ et moins, et ceux utilisant beaucoup la presse payante comme source d'information ont une probabilité plus grande de ne pas être préoccupés par les risques reliés au système de santé. À l'inverse, la probabilité d'être préoccupé par ces risques augmente lorsque les répondants ont une formation de niveau collégial. Un autre élément nous éclaire également. Selon nous, la perception du risque reliée à 3 enjeux de notre questionnaire peut influencer les préoccupations relatives au système de santé : le niveau de risque relié aux infections dans les hôpitaux, à l'engorgement dans les urgences et à la difficulté d'accès au système de santé. L'analyse probit réalisée permet de conclure en outre que les répondants percevant un niveau de risque grand ou très grand pour l'engorgement dans les urgences ont une probabilité plus élevée d'être préoccupés par la catégorie de risques reliés au système de santé.

Analyse n° 2 : la vaccination

D'après notre enquête, seulement 12 % des Québécois sont préoccupés au niveau collectif par les risques reliés à la santé publique (comme la dépendance au tabac/drogue, l'obésité, la malbouffe, la vaccination).

Si l'on regarde plus spécifiquement la vaccination, ce n'est pas un enjeu perçu comme risqué pour les Québécois puisqu'il se classe à l'avant-dernier rang en termes de niveau de risque perçu parmi 30 projets ou enjeux au Québec. D'après notre enquête, seulement 16 % des Québécois considèrent que le risque relié à la vaccination est grand voire très grand. Il est donc intéressant d'analyser ce qui peut expliquer ces résultats.

Confiance dans la gestion par le gouvernement

28 % des répondants ne font peu ou pas du tout confiance dans le gouvernement (autorité publique) pour les décisions relatives à la vaccination. Ce pourcentage descend à 23 % chez les répondants avec une formation universitaire (contre 30 % respectivement pour ceux avec une formation de niveau secondaire ($p = 0,063$) et avec une formation de niveau collégial ($p = 0,098$)). Par contre, c'est 50 % des travailleurs des sciences et des technologies qui ont une confiance faible dans le gouvernement pour la vaccination (contre 26 % respectivement pour ceux qui ne travaillent pas ($p = 0,061$) et pour les employés ($p = 0,075$)).

Une régression de type probit ordonné (0 = pas du tout et plutôt pas confiance, 1 = moyennement confiance, 2 = plutôt et tout à fait confiance) corrobore certains de ces résultats et apporte un nouvel éclairage sur les déterminants de la confiance dans le gouvernement dans la gestion de la vaccination. Ainsi, les répondants les plus jeunes (âgés de 18 à 34 ans) ont une plus grande probabilité d'avoir confiance dans le gouvernement pour la vaccination. Ceux qui jugent utile une structure pluraliste et ceux qui font confiance à la télévision ou à la radio comme source d'information ont une plus grande probabilité également d'avoir confiance dans le gouvernement. À l'inverse, les travailleurs des sciences et des technologies, ceux qui font confiance aux sites web et les francophones ainsi que les grands utilisateurs des réseaux sociaux ont une plus grande probabilité de ne pas avoir confiance dans le gouvernement dans sa gestion de la vaccination.

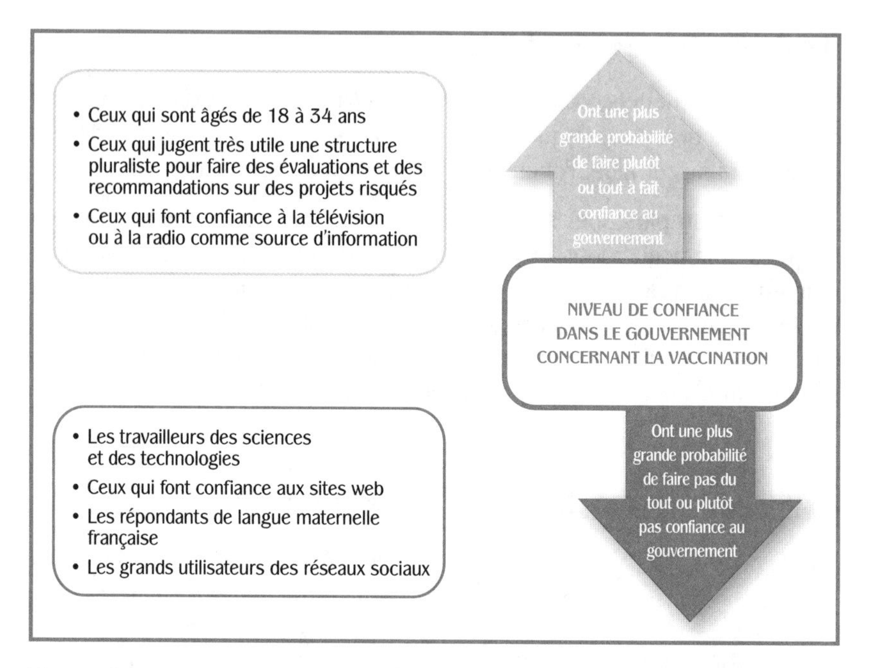

Figure 3 Résultats de l'analyse de type probit ordonné sur le niveau de confiance accordée au gouvernement concernant la vaccination

Perception du niveau de risque

La vaccination n'est pas un enjeu perçu comme risqué pour les Québécois puisqu'il se classe à l'avant-dernier rang en termes de niveau de risque perçu parmi 30 projets ou enjeux au Québec. D'après notre enquête, seulement 16 % des Québécois considèrent que le risque relié à la vaccination est grand voire très grand. Cependant, y a-t-il des personnes qui ont tendance à percevoir un niveau de risque plus élevé?

Plusieurs groupes particuliers se distinguent de la moyenne relative au niveau de risque perçu de la vaccination. C'est le cas des femmes qui, à hauteur de 18 %, considèrent que le risque relié à cette activité est grand voire très grand (contre 14 % pour les hommes, avec un p = 0,063). De la même façon, c'est 20 % des Québécois avec une formation de niveau secondaire qui considèrent le risque relié à la vaccination comme grand ou très grand contre seulement 14 % des Québécois avec une formation niveau collégial (p = 0,084) et 14 % de ceux ayant une formation universitaire (p = 0,038). Les Québécois avec un revenu familial total de 80 000 $ et plus cotent moins souvent le risque relié à la vaccination comme grand ou très grand (7 % contre 21 % pour les Québécois avec un revenu familial de 40 000 $ et moins (p = 0,0001) et 15 % pour les Québécois avec un revenu familial situé entre 40 000 $ et 80 000 $ (p = 0,051)). Également, 15 % des francophones perçoivent un risque élevé pour la vaccination, alors que ce pourcentage monte à 25 % chez les Québécois de langue maternelle ni anglaise ni française (p = 0,040).

La régression de type probit ordonné (0 = risque négligeable ou faible, 1 = risque moyen, 2 = risque grand ou très grand) ajoute certains éléments pour distinguer certaines caractéristiques communes aux Québécois qui ont une plus grande probabilité à percevoir un risque négligeable pour la vaccination. Ainsi, les hommes, ceux qui ont une confiance forte envers le gouvernement relativement à la gestion de la vaccination, ceux qui font confiance à la presse payante, les répondants avec une formation universitaire et ceux avec un revenu familial total de 80 000 $ et plus, ont une plus grande probabilité de percevoir le risque relié à la vaccination comme négligeable ou faible. À l'inverse, les Québécois qui utilisent beaucoup les sites web comme source d'information ont une plus grande probabilité de percevoir un risque élevé.

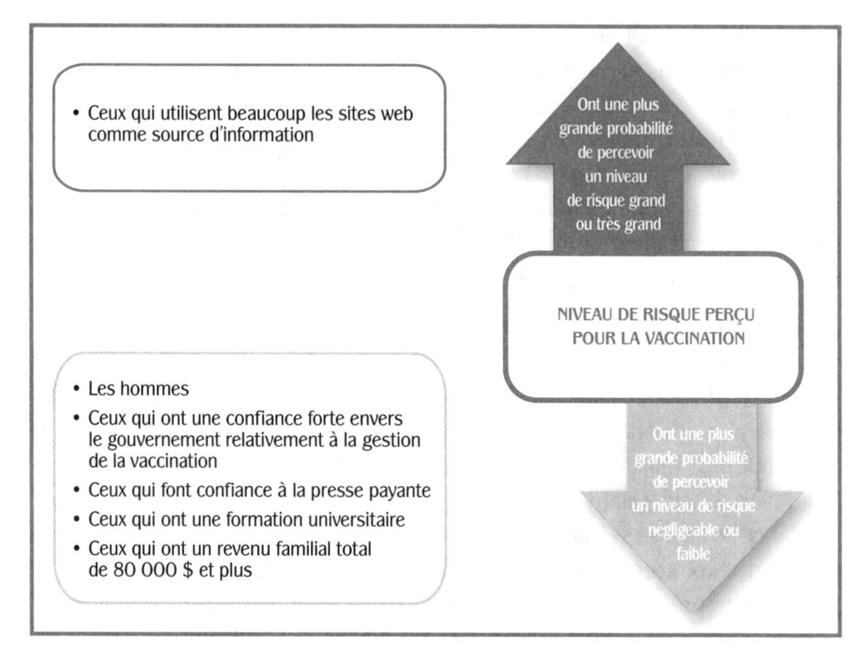

Figure 4 Résultats de l'analyse de type probit ordonné sur le niveau de risque perçu relatif à la vaccination

Préoccupations relatives aux risques reliés à la santé publique

Nous allons présenter ici quelques statistiques relatives aux préoccupations des Québécois concernant les risques reliés à la santé publique, étant donné que cette catégorie de préoccupations englobe entre autre l'enjeu traité ici, à savoir, la vaccination.

D'après notre enquête, 12 % des Québécois sont préoccupés au niveau collectif par les risques reliés à la santé publique. Ainsi, les risques reliés à la santé publique, comme la dépendance au tabac/drogue, l'obésité, la malbouffe, la vaccination inquiètent peu les Québécois.

Des différences marquantes sont constatées selon différents groupes. Ainsi, 15 % des hommes sont préoccupés par les risques reliés à la santé publique (contre 10 % des femmes avec p = 0,009). C'est même 19 % des résidents de la région métropolitaine de recensement de Québec (contre 10 % pour les résidents de la région métropolitaine de recensement de Montréal avec un p = 0,019), 18 % des Québécois de moins de 34 ans, 18 % des Québécois avec une formation universitaire ainsi que 14 % des francophones (contre seulement 5 % pour les anglophones avec un p = 0,0120) qui sont préoccupés par les risques à la santé publique.

La régression de type probit (1 = préoccupé par les risques reliés à la santé publique, 0 = non préoccupé par les risques reliés à la santé publique) corrobore certains de ces résultats et montre que la probabilité d'être préoccupé par les risques reliés à la santé publique augmente si le répondant est un homme, âgé de 18 à 34 ans, de langue maternelle française, qui a une formation universitaire et qui perçoit un risque élevé pour le risque relié au tabac et à l'obésité. En suivant notre questionnaire, les risques reliés à la santé publique sont éclatés en trois enjeux différents (pour les questions sur le niveau de risque et sur la confiance dans le gouvernement) : la contamination des aliments par les bactéries et autres microbes, les problèmes de santé liés au tabac et à l'obésité et la vaccination. Ainsi, est-il intéressant de constater que, parmi ces trois enjeux, seul le fait de percevoir un risque élevé pour les problèmes de santé liés au tabac et à l'obésité, sort comme un facteur explicatif significatif des préoccupations des Québécois pour la santé publique.

Des différences significatives dans les réactions des Québécois en cas de campagne de vaccination massive

Nous avons constaté que même si la plupart des répondants ne perçoivent pas un risque élevé pour les vaccins et ont confiance dans le gouvernement, plus de 30 % des répondants affirment vouloir refuser le vaccin en cas de campagne obligatoire.

Y-a-t-il des différences significatives dans le type de réaction que peut avoir une personne selon son niveau de perception du risque, son niveau de confiance dans le gouvernement et son niveau d'acceptabilité d'une campagne de vaccination obligatoire?

Le tableau suivant indique les résultats de tests statistiques comparant le niveau moyen de risque perçu, le niveau moyen de confiance et le niveau moyen d'acceptabilité relativement à la vaccination en fonction du type de réaction vis-à-vis d'une campagne de vaccination obligatoire.

	Accepter sans réagir			Manifester		
	oui 322	non 808	p[1]	oui 69	non 1061	p
Niveau de risque	2,28	2,71	0,000****	3,07	2,56	0,000****
Confiance dans la gestion par le gouvernement	3,61	2,95	0,000****	2,43	3,18	0,000****
Acceptabilité	1,34	1,90	0,000****	2,33	1,70	0,000****
	Faire circuler une pétition			**Intenter un recours judiciaire**		
	oui 68	non 1062	p	oui 20	non 1110	p
Niveau de risque	3,09	2,56	0,000****	3,10	2,58	0,029**
Confiance dans la gestion par le gouvernement	2,60	3,17	0,000****	2,23	3,15	0,001****
Acceptabilité	2,20	1,71	0,000****	2,89	1,72	0,000****

1. t-test
* $p < 0,1$; ** $p < 0,05$; *** $p < 0,001$; **** $p < 0,0001$

Tableau 12 Niveau moyen de risque perçu, niveau moyen de confiance et niveau moyen d'acceptabilité relativement à la vaccination en fonction du type de réaction vis-à-vis d'une campagne de vaccination obligatoire

Joindre groupe organisé			Réagir dans les médias			Contacter le gouvernement /experts pour des informations		
oui 62	non 1068	p	oui 60	non 1070	p	oui 290	non 840	p
3,04	2,56	0,001***	3,17	2,55	0,000****	2,65	2,57	0,261
2,40	3,18	0,000****	2,59	3,17	0,000****	3,25	3,10	0,070*
2,00	1,73	0,019**	2,16	1,72	0,000****	1,74	1,74	0,995

Discuter avec vos amis / famille			S'informer des pratiques à l'étranger			Refuser le vaccin		
oui 429	non 701	p	oui 313	non 817	p	oui 358	non 772	p
2,65	2,55	0,131	2,55	2,60	0,447	2,86	2,46	0,000****
3,13	3,14	0,967	3,24	3,09	0,059*	2,50	3,43	0,000****
1,75	1,73	0,781	1,68	1,76	0,101	2,23	1,52	0,000****

Ainsi, les Québécois qui acceptent le vaccin sans réagir lors d'une campagne obligatoire perçoivent le niveau de risque de la vaccination plus faible (2,28/5 contre 2,71/5 avec p = 0,0001), ont une plus grande confiance dans la gestion de ce dossier par le gouvernement (3,61 contre 2,95 avec p = 0,0001) et enfin ont une plus grande propension à être favorable à ce genre de projet (1,34 contre 1,90 avec p = 0,0001).

À l'inverse, les Québécois qui ont des réactions « négatives » et collectives (comme manifester, joindre un groupe organisé, réagir dans les médias, faire circuler une pétition) perçoivent un risque significativement plus élevé quant à la vaccination, ont significativement moins confiance au gouvernement dans la gestion des décisions relatives à la vaccination et sont significativement moins favorables à ce projet. La réaction individuelle négative à savoir refuser le vaccin, suit les mêmes tendances.

Pour une campagne de vaccination obligatoire, les Québécois qui ont des réactions plutôt neutres et individuelles (telles que contacter le gouvernement pour davantage d'informations, discuter avec ses amis/famille ou s'informer des pratiques à l'étranger) ne perçoivent pas un risque significativement plus élevé quant à la vaccination, n'ont pas significativement moins confiance au gouvernement dans la gestion de la vaccination et ne sont pas significativement moins favorables à ce projet.

Deux régressions de type probit, la première sur les répondants ayant coché « accepter le vaccin sans réagir », et l'autre sur ceux ayant coché « refuser le vaccin », confirment certains de ces résultats et amènent un regard complémentaire. Ainsi, les 55 ans et plus et les Québécois avec des enfants de moins de 18 ans habitant avec eux ont une plus grande probabilité d'accepter le vaccin sans réagir. À l'inverse, les francophones, ceux qui veulent que des experts indépendants soient consultés par le gouvernement pour la gestion des décisions publiques, les Québécois avec une formation universitaire et ceux qui utilisent beaucoup les réseaux sociaux ont une plus grande probabilité de refuser le vaccin.

Analyse nº 3 : l'état des ponts et viaducs

D'après notre enquête, 37 % des Québécois sont préoccupés au niveau collectif par les risques reliés aux infrastructures de transport. Il s'agit de la 1re préoccupation des Québécois sur un groupe de 10 préoccupations à l'étude. Par ailleurs, l'enjeu relatif à l'état des ponts et des viaducs se classe au 2e rang en termes de niveau de risque perçu parmi 30 projets ou enjeux au Québec. D'après notre enquête, 76 % des répondants considèrent que le risque relié à cette activité est grand voire très grand.

Confiance dans la gestion par le gouvernement

D'après notre enquête, l'état des ponts et des viaducs représente le 5e enjeu pour lequel les Québécois ont le moins confiance dans sa gestion par le gouvernement. 62 % des répondants n'ont pas du tout ou plutôt pas confiance dans le gouvernement pour cet enjeu. Cette proportion atteint 66 % pour les répondants de la région de Montréal (contre 58 % pour les habitants des autres régions avec un $p = 0{,}012$), 73 % pour les répondants anglophones (contre 62 % pour les francophones ($p = 0{,}045$) et 47 % pour les répondants de langue maternelle autre que le français ou l'anglais ($p = 0{,}0001$)).

Une régression de type probit ordonné (0 = pas du tout et plutôt pas confiance, 1 = moyennement confiance, 2 = plutôt et tout à fait confiance) corrobore certains de ces résultats. En effet, les résultats montrent que la probabilité de n'avoir « pas du tout » ou « plutôt pas confiance » dans le gouvernement pour la gestion de l'état des ponts et viaducs augmente pour les travailleurs des sciences et technologies et les habitants de la région métropolitaine de recensement de Montréal. Par ailleurs, la probabilité d'exprimer une entière confiance envers le gouvernement pour l'état des ponts croît avec les répondants jugeant très utile une structure pluraliste pour faire des évaluations et des recommandations sur des projets risqués. De façon moins significative que pour les autres coefficients, les répondants de langue maternelle autre que le français et l'anglais sont également plus susceptibles de faire davantage confiance au gouvernement pour la gestion des ponts.

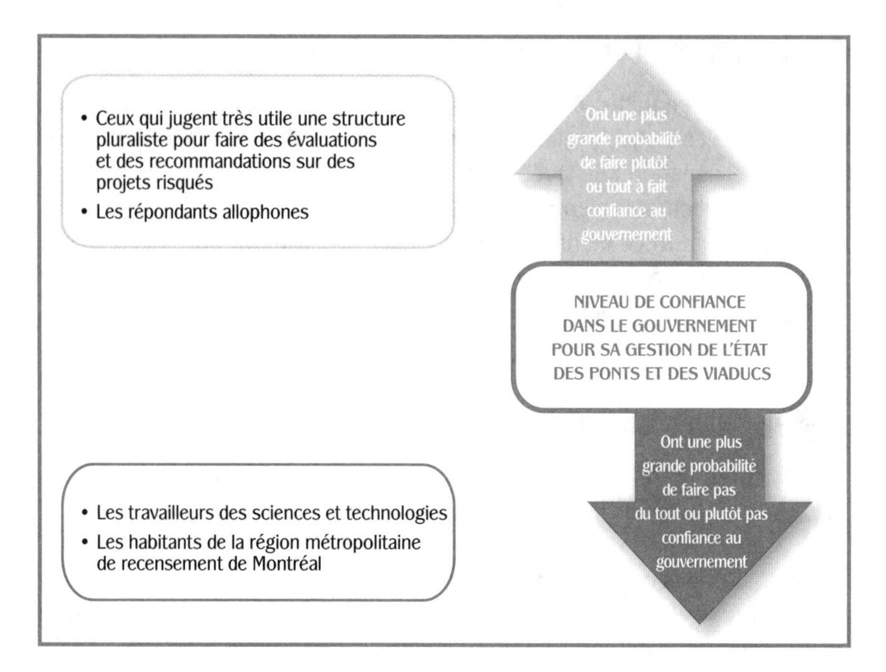

Figure 5 Résultats de l'analyse de type probit ordonné sur le niveau de confiance accordée au gouvernement pour sa gestion de l'état des ponts et des viaducs

Perception du niveau de risque

L'état des ponts et des viaducs se classe au 2e rang en termes de niveau de risque perçu parmi 30 projets ou enjeux au Québec. D'après notre enquête, 76 % des répondants considèrent que le risque relié à cette activité est grand voire très grand.

Plusieurs groupes particuliers se distinguent de la moyenne relative au niveau de risque perçu pour l'état des ponts et des viaducs. C'est le cas des femmes qui, à hauteur de 78 %, considèrent que le risque relié à cette activité est grand voire très grand (contre 73 % pour les hommes, avec un p = 0,023). Les résidents de Montréal cotent plus souvent le risque relié à l'état des ponts et viaduc comme grand ou très grand (80 % contre 70 % pour les résidents de la région de Québec (p = 0,090) et 73 % des résidents des autres régions (0,037)), ainsi que les répondants ayant une formation universitaire (80 % contre 70 % pour ceux ayant une formation collégiale avec un p = 0,005).

Un probit ordonné (0 = risque négligeable ou faible, 1 = risque moyen, 2 = risque grand ou très grand) offre un éclairage complémentaire pour expliquer la perception des répondants relativement au niveau de risque perçu de l'état des ponts et viaducs. Les hommes et les répondants étant en faveur d'une consultation des associations industrielles ou sectorielles par le gouvernement dans la gestion des grands projets sont davantage susceptibles de se retrouver dans la catégorie de ceux qui perçoivent un risque négligeable ou faible pour l'état des ponts. À l'autre extrémité, la probabilité de percevoir un niveau de risque grand ou très grand envers l'état des ponts et viaducs se retrouve parmi les répondants qui sont gestionnaires/administrateurs ou propriétaires de compagnie.

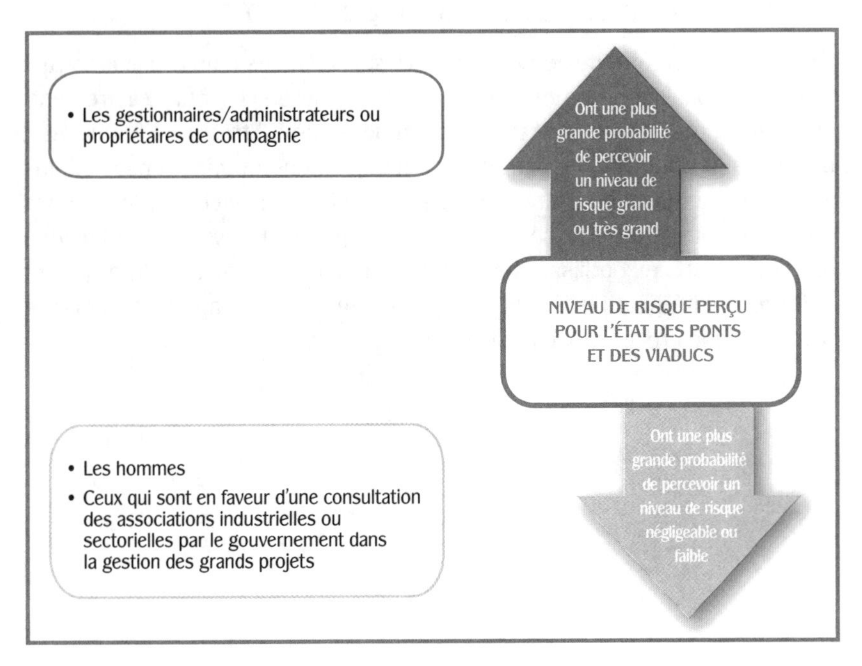

Figure 6 Résultats de l'analyse de type probit ordonné sur le niveau de risque perçu de l'état des ponts et des viaducs

Préoccupations relatives aux risques reliés aux infrastructures de transport

Nous allons présenter ici quelques statistiques relatives aux préoccupations des Québécois concernant les risques reliés aux infrastructures de transport, étant donné que cette catégorie de préoccupations englobe l'enjeu traité ici, à savoir, l'état des ponts et viaducs.

D'après notre enquête, 37 % des Québécois sont préoccupés au niveau collectif par les risques reliés aux infrastructures de transport. Il s'agit de la 1re préoccupation des Québécois sur un groupe de 10 préoccupations à l'étude. Qui sont les personnes préoccupées par ces risques?

Les répondants ayant comme degré scolaire un niveau secondaire sont 42 % à être préoccupés par l'état des ponts et des viaducs (contre 33 % pour les répondants ayant un niveau collégial ($p = 0{,}047$)).

L'analyse économétrique de type probit (1 si les risques reliés aux infrastructures sont considérés comme préoccupants au niveau collectif, 0 autrement) identifie les répondants percevant un risque grand ou très grand pour l'état des ponts et viaducs et les retraités, comme présentant une probabilité plus élevée que la moyenne d'être préoccupés au niveau collectif par les risques reliés aux infrastructures. À l'inverse, les répondants avec une éducation universitaire et ceux utilisant beaucoup les réseaux sociaux sur Internet ont une probabilité plus élevée de ne pas être préoccupés au niveau collectif par les risques reliés aux infrastructures.

Analyse n° 4 : l'exploitation d'une centrale nucléaire

Le printemps et l'été 2011 ont vu l'intention d'un retrait du nucléaire progresser en Europe. La Suisse a décidé de sortir en 2034, l'Allemagne en 2022, les Italiens ont refusé la relance du nucléaire par référendum. Au Québec, c'est tout le débat qui entoure la réfection de la centrale de Gentilly-2 à Bécancour qui a occupé les médias. Ainsi, le nucléaire devient de plus en plus un sujet d'ordre international, d'autant plus après le tragique accident de la centrale nucléaire de Fukushima au Japon.

Nous allons présenter ici quelques statistiques relatives aux préoccupations des Québécois concernant les risques technologiques, étant donné que cette catégorie de préoccupations englobe entre autre l'enjeu traité ici, à savoir, l'exploitation d'une centrale nucléaire. Au Québec, 12 % des répondants se disent préoccupés par les risques technologiques (comme par exemple, les risques reliés aux usines chimiques, aux centrales nucléaires, au transport de matières dangereuses, à l'enfouissement des déchets ou encore aux lignes à haute tension). C'est même 18 % des 55 ans et plus qui sont préoccupés (contre 7 % des 18-34 ans au seuil de confiance de $p = 0{,}0001$ et 11 % des 35-54ans au seuil de confiance de $p = 0{,}006$). Les répondants ayant les revenus familiaux annuels les plus faibles (40 000 $ et moins) sont significativement plus préoccupés par les risques technologiques (17 %) que ceux qui ont des revenus supérieurs à 40 000 $. Il en est de même pour ceux qui ont un niveau de formation de niveau secondaire (15 % se disent préoccupés par les risques technologiques contre 8 % des répondants avec une formation universitaire ($p = 0{,}021$)). Une analyse probit (1 = préoccupé, 0 = pas préoccupé pas les risques technologiques) montre en plus que les Québécois qui ont perçu un risque élevé pour les centrales nucléaires et pour le transport des matières dangereuses ont une plus grande probabilité d'être préoccupés par les risques technologiques (ce constat n'est pas significatif dans le cas de l'utilisation des produits chimiques par l'industrie et des sites d'enfouissement des déchets).

Au Québec, 53 % des répondants à l'enquête n'ont pas confiance dans la gestion par le gouvernement des dossiers relatifs à l'exploitation d'une centrale nucléaire (en France, on constate les mêmes tendances, puisque selon les résultats d'une étude de l'Institut de Radioprotection et de Sûreté Nucléaire (IRSN, 2011), les niveaux de crédibilité pour les élus locaux, le gouvernement et les hommes politiques sont très faibles). Au Québec,

5 % de la population n'a aucune opinion vis-à-vis de leur confiance dans le gouvernement pour la gestion de cet enjeu. Une analyse économétrique de type probit (1 = n'a pas d'opinion sur la confiance, 0 = a une opinion sur la confiance dans le gouvernement) montre que les hommes, les francophones, les répondants avec une formation universitaire, ceux qui connaissent le BAPE et ceux qui font confiance aux sites web ont une plus grande probabilité de s'être forgé une opinion (peu importe laquelle) sur le niveau de confiance qu'ils accordent au gouvernement vis-à-vis de l'exploitation d'une centrale nucléaire.

Qu'en est-il du niveau d'acceptabilité des centrales nucléaires par les Québécois sachant qu'ils perçoivent le risque relié au nucléaire comme plutôt faible mais ont une très faible confiance dans le gouvernement pour la gestion de la centrale? Nous avons vu précédemment que 70,5 % des Québécois sont complètement ou moyennement opposés à l'exploitation d'une centrale nucléaire. Une analyse probit (1 = moyennement opposé ou complètement opposé, 0 = favorable ou moyennement favorable) montre que les francophones, les habitants de la région métropolitaine de recensement de Montréal et ceux qui utilisent beaucoup la télévision ou la radio ont une plus grande probabilité d'être opposés à l'exploitation d'une centrale nucléaire. À l'inverse, ceux qui considèrent que le risque des centrales nucléaires est faible, ceux qui ont une confiance forte dans le gouvernement pour les gérer et ceux qui connaissent le BAPE ont une plus grande probabilité d'être favorables ou moyennement favorables à l'exploitation d'une centrale nucléaire.

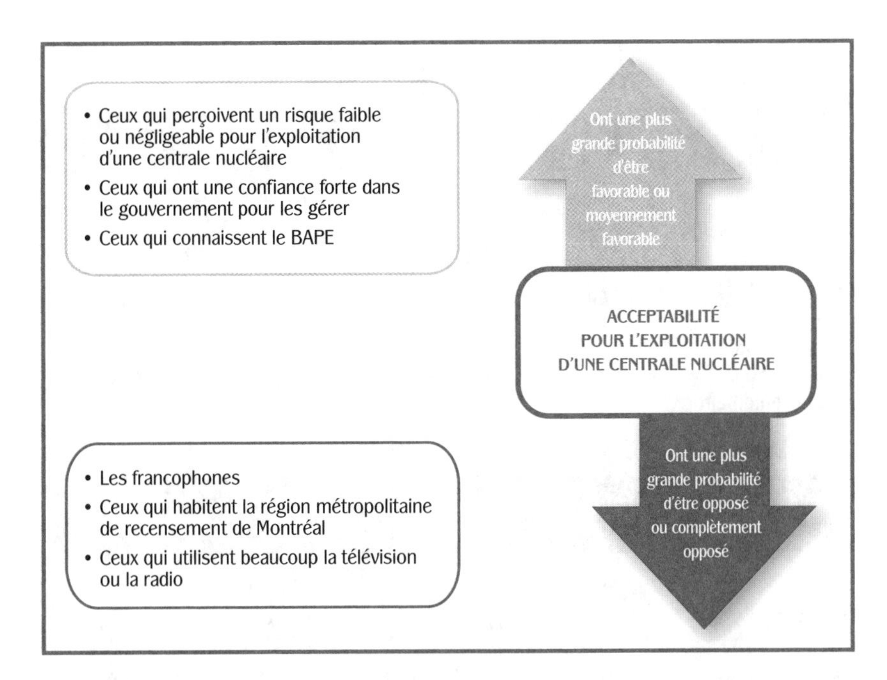

Figure 7 Résultat de l'analyse de type probit sur le niveau d'acceptabilité pour l'exploitation d'une centrale nucléaire

Comment expliquer la variance dans les réactions des Québécois vis-à-vis de la construction d'une nouvelle centrale nucléaire?

Nous allons montrer qu'il y a des différences significatives dans le type de réaction que peut avoir une personne à la suite de l'annonce de la construction d'une nouvelle centrale nucléaire au Québec, selon son niveau de perception du risque, son niveau de confiance dans le gouvernement et son niveau d'acceptabilité du nucléaire.

Le tableau suivant indique les résultats de tests statistiques comparant le niveau moyen de risque perçu, le niveau moyen de confiance et le niveau moyen d'acceptabilité relativement à l'exploitation d'une centrale nucléaire en fonction du type de réaction vis-à-vis de la construction d'une nouvelle centrale nucléaire.

	Accepter le projet sans réagir			Déménager		
	oui 129	non 1001	p[1]	oui 99	non 1031	p
Niveau de risque	2,10	2,93	0,000****	3,27	2,79	0,000****
Confiance dans la gestion par le gouvernement	3,34	2,25	0,000****	1,91	2,42	0,000****
Acceptabilité	1,96	3,34	0,000****	3,56	3,15	0,000****
	Contacter le gouvernement/ experts pour informations			**Faire circuler une pétition**		
	oui 297	non 833	p	oui 234	non 896	p
Niveau de risque	2,83	2,83	0,98	3,36	2,69	0,000****
Confiance dans l a gestion par le gouvernement	2,54	2,32	0,006***	1,76	2,55	0,000****
Acceptabilité	3,10	3,21	0,079*	3,73	3,03	0,000****

1. t-test
* p < 0,1 ; ** p < 0,05 ; *** p < 0,001 ; **** p < 0,0001

Tableau 13 Niveau moyen de risque perçu, niveau moyen de confiance et niveau moyen d'acceptabilité face aux centrales nucléaires en fonction du type de réaction vis-à-vis de la construction d'une nouvelle centrale nucléaire

Manifester			Joindre un groupe organisé/ groupe de pression/ou monter un groupe de citoyens			Réagir dans les médias		
oui	non	p	oui	non	p	oui	non	p
255	875		269	861		178	952	
3,53	2,64	0,000****	3,32	2,67	0,000****	3,42	2,71	0,000****
1,70	2,58	0,000****	1,91	2,54	0,000****	1,91	2,47	0,000****
3,71	3,02	0,000****	3,69	3,02	0,000****	3,52	3,12	0,000****
Intenter un recours judiciaire			**Discuter avec vos amis / famille**			**S'auto-protéger (acheter capsule d'iode, mieux s'assurer…)**		
oui	non	p	oui	non	p	oui	non	p
50	1080		605	525		136	994	
3,51	2,80	0,000****	2,79	2,87	0,286	2,76	2,84	0,516
1,49	2,42	0,000****	2,33	2,43	0,151	2,35	2,39	0,739
3,77	3,15	0,000****	3,34	3,01	0,000****	3,28	3,17	0,215

On constate que les Québécois acceptant le projet de construction de la centrale nucléaire sans réagir ont tendance à évaluer le risque d'exploitation d'une centrale à un niveau plus faible (niveau moyen égal à 2,1 sur 5) que ceux qui n'acceptent pas le projet sans réagir (2,93 sur 5). La différence des moyennes entre les deux groupes est significative ($p = 0,0001$). De la même façon, la confiance dans la gestion par le gouvernement de l'exploitation d'une centrale nucléaire est plus grande pour les Québécois qui acceptent le projet sans réagir ($p = 0,0001$). Bien entendu, ils sont également plus enclins à être favorables à un tel projet. Une régression de type probit (1 = a coché « accepter le projet de construction d'une nouvelle centrale sans réagir », 0 = n'a pas coché « accepter le projet sans réagir ») montre que les hommes, les anglophones, ceux qui perçoivent un niveau de risque faible pour le nucléaire et ceux qui utilisent beaucoup la presse payante ont une plus grande probabilité d'avoir coché « accepter le projet sans réagir ». À l'inverse, les habitants de la région métropolitaine de Montréal et ceux qui utilisent beaucoup les réseaux sociaux sur internet ont une plus grande probabilité de ne pas avoir coché « accepter le projet sans réagir ». Une régression de type probit sur la variable « joindre un groupe organisé/groupe de pression », montre quant à elle que ceux qui utilisent beaucoup la presse gratuite ont une plus grande probabilité d'avoir coché comme réaction possible à la construction d'une nouvelle centrale, joindre un groupe organisé.

À l'opposé, lorsque l'on considère les Québécois ayant une réaction plutôt « négative » et « collective » vis-à-vis de la construction d'une nouvelle centrale nucléaire (comme déménager, manifester, joindre un groupe organisé, réagir dans les médias, faire circuler une pétition, intenter un recours judiciaire), on note que ces répondants perçoivent tous, de façon significative, un niveau de risque supérieur pour l'exploitation d'une centrale nucléaire, une confiance moindre envers la gestion par le gouvernement de ce projet et un niveau d'acceptabilité sociale du projet moindre.

Les réactions plutôt neutres et individuelles, comme contacter le gouvernement pour davantage d'informations, discuter avec ses amis/famille ou s'autoprotéger, ne montrent pas de différence significative dans le niveau de risque perçu, la confiance dans le gouvernement ou encore le niveau d'acceptabilité sociale du projet.

Ainsi, on peut conclure que le type de réactions des Québécois vis-à-vis de la construction d'une nouvelle centrale nucléaire est lié à leur perception du niveau de risque, leur confiance dans la gestion par le gouvernement et leur niveau d'acceptabilité d'un tel projet. Lorsque le niveau de risque perçu diminue (avec un coefficient de corrélation de Pearson de -0,229**), la confiance dans le gouvernement augmente (r = 0,306**), l'acceptabilité sociale augmente (r = -0,470**) et les Québécois ont plus tendance à accepter le projet de construction d'une nouvelle centrale sans réagir.

Analyse n° 5 : l'exploration pour du gaz de schiste

D'après notre enquête, 33 % des Québécois sont préoccupés au niveau collectif par les risques environnementaux et les ressources énergétiques. Il s'agit de la 3e plus importante préoccupation sur un groupe de dix préoccupations à l'étude. L'exploration pour du gaz de schiste se classe au 6e rang en termes de niveau de risque perçu parmi 30 projets ou enjeux au Québec. D'après notre enquête, 57 % des répondants considèrent que le risque relié à cette activité est grand voire très grand.

Confiance dans la gestion par le gouvernement

D'après notre enquête, l'exploration pour du gaz de schiste représente le 2e enjeu sur 30 à l'étude pour lequel les Québécois ont le moins confiance dans sa gestion par le gouvernement. 67 % des répondants n'ont « plutôt pas » ou « pas du tout confiance » dans le gouvernement pour cet enjeu. Les répondants âgés de 55 ans et plus sont même en moyenne 74 % à ne pas du tout ou plutôt pas avoir confiance dans le gouvernement pour la gestion de l'exploration pour du gaz de schiste. Les ouvriers ne sont en revanche que 51 % à partager cette opinion (contre 68 % des répondants qui ne travaillent pas (p = 0,012) et contre 69 % des employés (p = 0,008)).

Un probit ordonné (0 = pas du tout et plutôt pas confiance, 1 = moyennement confiance, 2 = plutôt et tout à fait confiance) confirme que l'âge de « 55 ans ou plus » est un facteur augmentant la probabilité de se retrouver dans la catégorie « pas du tout confiance » envers le gouvernement pour la gestion des gaz de schiste. À l'autre extrémité, la probabilité d'exprimer une entière confiance envers le gouvernement se retrouve parmi les répondants, travaillant comme ouvrier, jugeant très utile une structure pluraliste pour faire des évaluations et des recommandations sur des projets risqués, pensant que le gouvernement devrait consulter les associations industrielles ou sectorielles dans la gestion des projets risqués et utilisant beaucoup la presse payante. Les répondants mariés sont également plus susceptibles de faire davantage confiance au gouvernement pour la gestion de l'exploration des gaz de schiste.

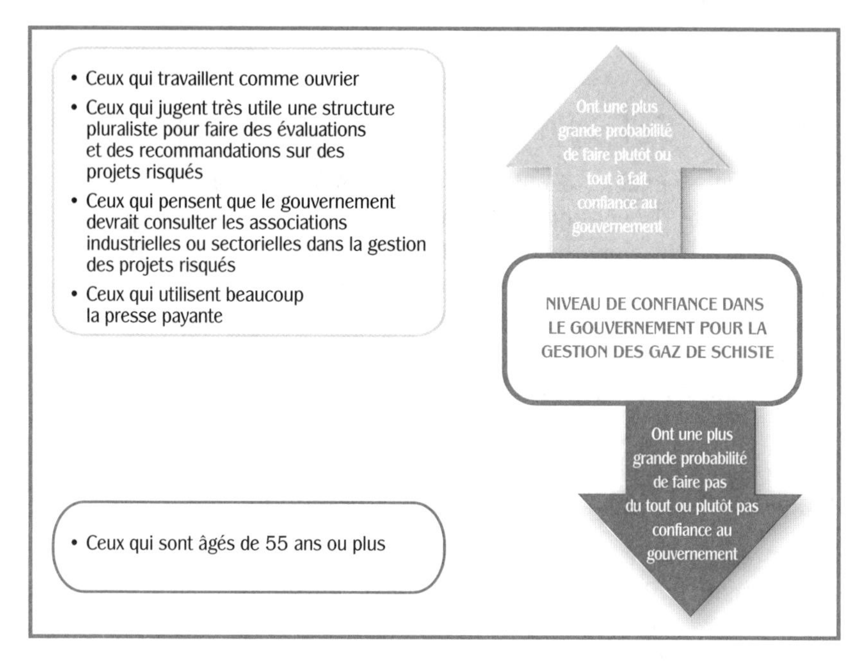

Figure 8 Résultats de l'analyse de type probit ordonné sur le niveau de confiance dans le gouvernement pour la gestion de l'exploration pour du gaz de schiste

Toutefois, près de 10 % des répondants n'ont aucune opinion relativement à la confiance dans la gestion de l'exploration des gaz de schiste par le gouvernement. Il est intéressant ici aussi d'examiner de plus près quelles sont les variables qui peuvent expliquer cette absence d'opinion. Plusieurs groupes particuliers se distinguent de la moyenne en ayant plus souvent une opinion (peu importe laquelle) sur la confiance dans le gouvernement. Ainsi seulement 3 % des hommes (15 % des femmes) (significatif avec un $p = 0,0001$), 5 % des répondants de langue maternelle française (26 % pour les anglophones ($p = 0,0001$) et 24 % pour les allophones ($p = 0,0001$)), 6 % des québécois avec une formation universitaire (contre 11 % des Québécois avec un secondaire, $p = 0,048$) et 3 % des habitants de la région métropolitaine de Québec (11 % pour la région métropolitaine de Montréal avec $p = 0,017$) n'ont pas émis d'opinion quant à leur confiance dans le gouvernement dans la gestion de l'exploration pour des gaz de schiste.

L'analyse économétrique (probit : 1 = aucune opinion sur la confiance dans le gouvernement, 0 = a une opinion sur la confiance peu importe laquelle) corrobore plusieurs de ces résultats. Ainsi, les hommes, de langue maternelle française, connaissant le BAPE, et accordant une grande confiance au site web pour la recherche d'informations ont une plus grande probabilité d'avoir une opinion (quelle qu'elle soit) sur la confiance dans le gouvernement pour sa gestion de l'exploration pour du gaz de schiste. De façon moins significative que pour les autres coefficients, les répondants âgés de 55 ans et plus ainsi que les habitants de la région métropolitaine de recensement de Québec sont également plus susceptibles d'avoir une opinion sur la confiance qu'ils accordent au gouvernement pour la gestion de l'exploration des gaz de schiste.

Perception du niveau de risque

L'exploration pour du gaz de schiste se classe au 6e rang en termes de niveau de risque perçu parmi 30 projets ou enjeux au Québec. D'après notre enquête, 57 % des répondants considèrent que le risque relié à cette activité est grand voire très grand.

Plusieurs groupes particuliers se distinguent de la moyenne relative au niveau de risque perçu de l'exploration pour du gaz de schiste. C'est le cas des gestionnaires, administrateurs ou propriétaires de compagnie qui ne sont que 24 % à considérer le niveau de risque relié à l'exploration pour du gaz de schiste comme grand ou très grand (contre 60 % de ceux qui ne travaillent pas ($p = 0,0001$), 58 % des employés ($p = 0,001$) et 53 % des ouvriers ($p = 0,026$)). Les hommes sont quant à eux 53 % à considérer le niveau de risque relié à l'exploration pour du gaz de schiste comme grand ou très grand (contre 61 % des femmes, significatif avec un $p = 0,019$). En revanche, 63 % des francophones perçoivent un risque grand ou très grand pour le gaz de schiste (contre 39 % des anglophones ($p = 0,0001$) et 33 % des répondants allophones ($p = 0,0001$)).

Une analyse de type probit ordonné (0 = risque négligeable ou faible, 1 = risque moyen, 2 = risque grand ou très grand) offre un éclairage complémentaire pour expliquer la perception des répondants relativement au niveau de risque perçu de l'exploration pour du gaz de schiste. Les hommes, les répondants utilisant beaucoup la presse payante sont davantage susceptibles de se retrouver dans la catégorie de ceux qui perçoivent un risque négligeable ou faible. À l'autre extrémité, la probabilité de percevoir un niveau de risque grand ou très grand envers l'exploration pour du gaz de schiste se retrouve parmi les répondants qui n'ont pas du tout ou plutôt pas confiance dans le gouvernement dans la gestion de ce dossier, parmi ceux qui connaissent le BAPE et qui jugent utile ou très utile une structure pluraliste pour faire des évaluations et des recommandations sur des projets risqués et parmi ceux qui utilisent beaucoup les réseaux sociaux sur Internet et qui font confiance à la télé et à la radio. Notons également que le niveau de risque perçu pour l'exploration pour du gaz de schiste est considéré, bien que de façon moins statistiquement significative que les autres coefficients, plus élevé par les résidents de la région métropolitaine de recensement de Montréal et plus faible par les répondants étant employés, travailleurs des sciences et technologies ou gestionnaires/administrateurs/propriétaires de compagnies.

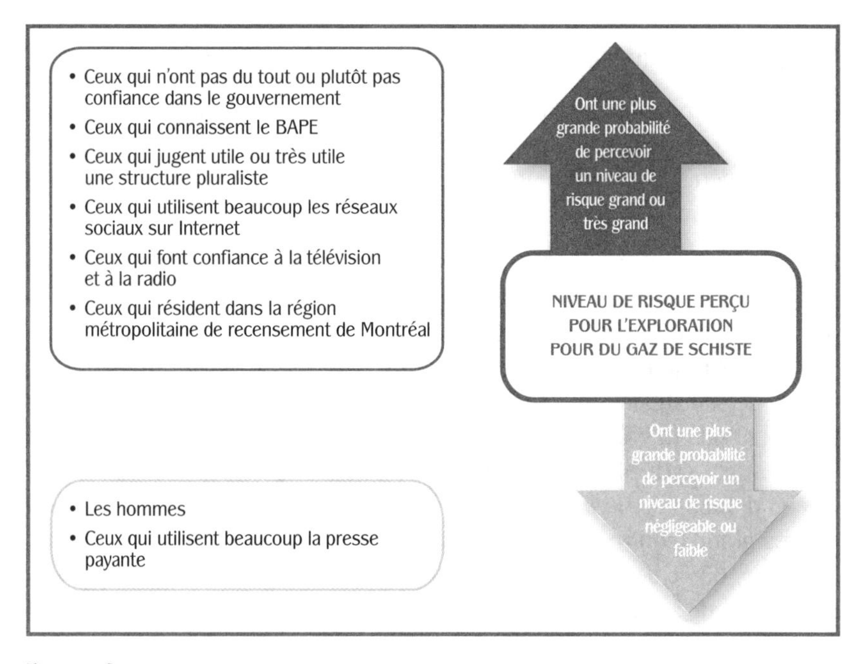

Figure 9 Résultats de l'analyse de type probit ordonné sur le niveau de risque perçu pour l'exploration pour du gaz de schiste

Près de 12 % des répondants ont répondu « ne pas connaître le niveau de risque » relié à l'exploration pour du gaz de schiste. Il est intéressant d'examiner de plus près quelles sont les variables qui pourraient expliquer cette méconnaissance. Ainsi, seulement 7 % des répondants de langue francophone ne connaissent pas le risque relié à l'exploration pour du gaz de schiste (contre 28 % pour les répondants de langue maternelle anglaise ($p = 0,0001$) et 29 % pour les répondants allophones ($p = 0,0001$)). De la même façon, c'est seulement 7 % des répondants ayant suivi une formation universitaire qui ne connaissent pas le niveau de risque contre 13,6 % à la fois pour les répondants ayant suivi des études au niveau secondaire ($p = 0,028$) ou collégial ($p = 0,053$). C'est aussi seulement 8 % des hommes contre 15 % des femmes qui ne connaissent pas ce risque ($p = 0,0001$). À l'inverse, lorsque l'on s'intéresse à l'occupation professionnelle des répondants, on constate que ce sont les gestionnaires/propriétaires ou administrateurs de compagnies qui sont significativement les plus nombreux (31 %) à ne pas connaître le niveau de risque reliés à l'exploration pour du gaz de schiste.

L'analyse économétrique de type probit (1 = ne connait pas le niveau de risque, 0 = a une opinion sur le niveau de risque peu importe laquelle) corrobore plusieurs de ces résultats. Ainsi, les répondants qui sont gestionnaires, administrateurs ou propriétaires, qui n'ont aucune opinion sur la confiance dans le gouvernement pour l'exploration pour du gaz de schiste ont une plus grande probabilité de ne pas connaître le niveau de risque relié à cet enjeu. À l'inverse, les répondants, les francophones, ceux ayant suivi une formation universitaire et ceux utilisant beaucoup les sites web comme sources d'information ont une plus grande probabilité d'avoir une opinion (quelle qu'elle soit) sur le niveau de risque relatif à l'exploration pour du gaz de schiste.

Préoccupations relatives aux risques environnementaux et aux ressources énergétiques

Nous allons présenter ici quelques statistiques relatives aux préoccupations des Québécois concernant les risques environnementaux et relatifs aux ressources énergétiques, étant donné que cette catégorie de préoccupations englobe entre autre l'enjeu traité ici, à savoir, l'exploration pour du gaz de schiste.

D'après notre enquête, 33 % des Québécois sont préoccupés au niveau collectif par les risques environnementaux et les ressources énergétiques. Il s'agit de la 3e plus importante préoccupation sur un groupe de 10 préoccupations à l'étude. Qui sont les personnes préoccupées par ces risques?

L'analyse économétrique de type probit (1 = si les risques environnementaux et les ressources énergétiques sont considérés comme préoccupants au niveau collectif, 0 = autrement) identifie les répondants percevant un risque grand ou très grand pour la pollution de l'eau et la pollution de l'air comme présentant une probabilité plus élevée de considérer les risques environnementaux et les ressources énergétiques comme préoccupants. Leur perception du niveau de risque relié aux gaz de schiste n'est pas un déterminant de leurs préoccupations au niveau collectif.

Acceptabilité du projet

D'après notre enquête, 68 % des Québécois sont opposés ou complètement opposés à l'exploration pour du gaz de schiste. Une analyse de type probit (1 = moyennement opposé ou complètement opposé, 0 = moyennement favorable ou favorable) nous donne plus de précisions sur les déterminants de l'acceptabilité d'un projet d'exploration pour du gaz de schiste. Ainsi, les répondants âgés de 55 ans et plus, les habitants de la région métropolitaine de recensement de Montréal, ceux qui sont préoccupés par les risques environnementaux et les ressources énergétiques et ceux qui perçoivent un niveau de risque pour les gaz de schiste grand ou très grand ont une plus grande probabilité d'être opposés ou complètement opposés à un projet d'exploration pour du gaz de schiste. À l'inverse, les répondants de langue maternelle autre que le français et l'anglais, ceux qui n'ont pas voulu révéler leur revenu annuel, ceux qui perçoivent un risque faible ou négligeable pour les gaz de schiste et ceux qui utilisent beaucoup la presse payante ont une plus grande probabilité d'être en faveur d'un projet d'exploration de gaz de schiste.

Analyse nº 6 : les projets en partenariat public-privé

21 % des répondants sont préoccupés au niveau collectif par les risques reliés à la gestion des projets publics. En outre, les Québécois perçoivent un niveau de risque moyen pour les PPP. Seulement 28 % de la population considèrent qu'ils représentent un risque grand ou très grand.

Confiance dans la gestion par le gouvernement

Même si les Québécois ne perçoivent pas nécessairement un risque très élevé pour les PPP, ils sont 47 % à ne pas avoir confiance dans le gouvernement pour leur gestion. Ils sont seulement 16 % à avoir plutôt ou tout à fait confiance dans le gouvernement. Les personnes qui ne sont pas mariées sont plus nombreuses à ne pas avoir confiance dans le gouvernement pour la gestion des PPP (49 % contre 43 % pour ceux qui sont mariés avec un $p = 0,063$). Les travailleurs des sciences et des technologies sont même 69 % à ne pas avoir confiance dans le gouvernement pour les PPP (contre 34 % chez les gestionnaires/administrateurs/propriétaires, avec un $p = 0,049$).

Une régression de type probit ordonné (0 = pas du tout et plutôt pas confiance, 1 = moyennement confiance, 2 = plutôt et tout à fait confiance) fait apparaitre certains autres facteurs : les hommes, les répondants âgés de 18 à 34 ans (versus les 35-54), ceux qui sont en faveur que les associations industrielles et sectorielles soient consultées par le gouvernement dans la gestion des projets à risque, ceux qui utilisent beaucoup la presse payante et de façon moins significative, ceux qui jugent utile une structure pluraliste pour faire des recommandations dans le cas de projets risqués ont une plus grande probabilité d'avoir plutôt ou tout à fait confiance dans le gouvernement pour la gestion des PPP.

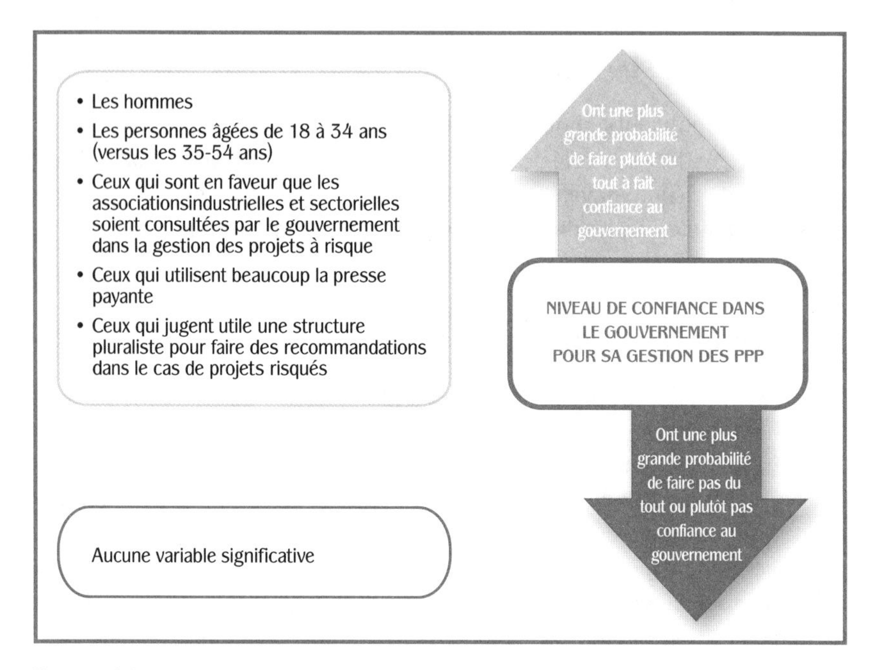

Figure 10 Résultats de l'analyse de type probit ordonné sur le niveau de confiance accordée au gouvernement pour sa gestion des PPP

Perception du niveau de risque

Les Québécois perçoivent les PPP comme un projet avec un niveau de risque moyen. Seulement 28 % de la population considèrent qu'ils représentent un risque grand ou très grand. La sous-catégorie des répondants avec des enfants habitant avec eux sont même seulement 23 % (contre 30 % pour ceux qui n'en ont pas, avec un seuil de confiance de p = 0,012). La tendance est la même pour les Québécois mariés. Les personnes âgées (55 ans et +) ont plus tendance que les jeunes (18-34 ans) à considérer le risque relié aux PPP comme important (32 % contre 23 %, au seuil de confiance de p = 0,045). Il en est de même pour les répondants avec un faible revenu annuel familial (de 40 000 $ et moins) par rapport à ceux avec un revenu compris entre 40 000 et 80 000 $ (33 % contre 25 %, au seuil de confiance de p = 0,041). Les francophones perçoivent plus souvent un risque élevé que les allophones (30 % contre 19 %, avec un p = 0,059).

Une régression de type probit ordonné (0 = risque négligeable ou faible, 1 = risque moyen, 2 = risque grand ou très grand) ne fait ressortir que peu d'éléments significatifs, si ce n'est que ceux qui ont une confiance forte dans le gouvernement pour les PPP ont une plus grande probabilité de percevoir un risque négligeable pour les PPP. Il en est de même, mais de façon moins significative, des hommes et des résidents de la région métropolitaine de Québec. Les répondants qui utilisent beaucoup la presse gratuite et de façon moins significative, ceux qui utilisent beaucoup la télévision ou la radio, ont une plus grande probabilité de percevoir un niveau de risque élevé pour les PPP.

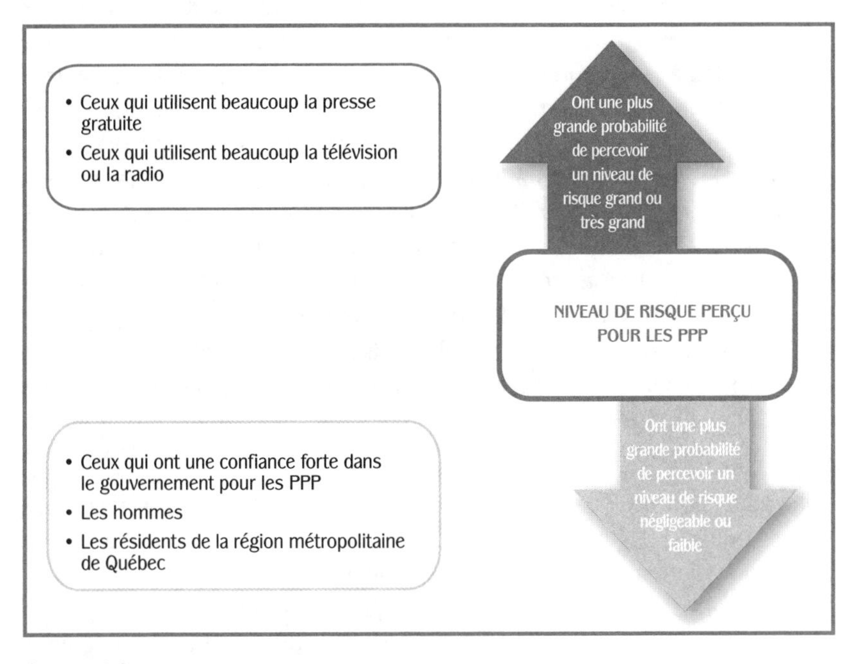

Figure 11 Résultats de l'analyse de type probit ordonné sur le niveau de risque perçu des PPP

Préoccupations relatives aux risques reliés à la gestion des projets publics

Nous allons présenter ici quelques statistiques relatives aux préoccupations des Québécois concernant les risques reliés à la gestion des projets publics, étant donné que cette catégorie de préoccupations englobe l'enjeu traité ici, à savoir, les projets en partenariat public-privé.

21 % des répondants sont préoccupés au niveau collectif par les risques reliés à la gestion des projets publics. Les hommes sont plus souvent préoccupés que les femmes (23 % le sont contre 18 % des femmes, avec un seuil de confiance égal à 0,020). Les résidents de la région métropolitaine de Québec sont également plus préoccupés (à hauteur de 29 %) par les risques reliés à la gestion des projets publics que les habitants des autres régions (Montréal non compris). Une explication peut être leur proximité géographique avec le gouvernement. Le pourcentage de Québécois préoccupés par les risques reliés à la gestion des projets publics atteint respectivement 26 et 28 % chez les répondants avec un revenu de 80 000 $ et plus et chez ceux qui ne souhaitent pas révéler leur revenu, comparativement à 17 % chez les répondants avec un revenu familial de 40 000 $ et moins ($p = 0,072$ dans les 2 cas). De la même manière, les répondants avec une formation universitaire sont 29 % à être préoccupés par ce risque contre 15 % chez les répondants avec une formation de niveau secondaire ($p = 0,0001$) et 18 % chez les répondants avec une formation de niveau collégial ($p = 0,003$).

Une régression de type probit (1 = préoccupé par les risques reliés aux projets publics, 0 = pas préoccupé) confirme certains de ces résultats en apportant d'autres aspects importants. Ainsi, les hommes, les répondants avec une formation universitaire, et ceux qui perçoivent un niveau de risque élevé pour les projets de partenariat public-privé (PPP) ont une plus grande probabilité d'être préoccupés par les risques reliés à la gestion des projets publics. À l'inverse, ceux qui ont une confiance forte dans le gouvernement pour les PPP ont une plus grande probabilité de ne pas être préoccupés par les risques reliés à la gestion des projets publics.

Analyse nº 7 : les risques émergents (reliés aux nanotechnologies, génomique et OGM)

La préoccupation pour ces risques est relativement récente (moins de 20 ans, voire même moins de 10 ans pour les nanotechnologies). De manière générale, les Québécois ont plutôt confiance dans le gouvernement pour la gestion de ces risques. Cependant, on s'aperçoit que les modes de gestion de ces risques restent peu connus du public, notamment en ce qui a trait au niveau de risque perçu et à la confiance dans le gouvernement. En effet, un pourcentage relativement important n'a pas d'opinion relativement à un niveau de confiance par rapport à ces nouveaux risques ou encore affirme ne pas connaître le risque associé à ces projets (c'est 31 % des répondants qui affirment ne pas connaître le niveau de risque associé aux nanotechnologies). Les OGM, les nanotechnologies et la génomique sont perçus en général à risque moyen ou faible.

Même si les Québécois sont tout de même 13 % à être préoccupés par ces risques, ces nouvelles technologies sont loin d'être massivement rejetées (seulement 2 % des Québécois sont complètement opposés aux nanotechnologies et 9,1 % par rapport à l'utilisation de la génétique dans la santé).

Il est important de noter que 32,6 % des Québécois ne savent pas se prononcer s'ils sont favorables ou non aux nanotechnologies. Une analyse de type probit (1 = ne sais pas s'il est favorable ou opposé, 0 = a une opinion quant à l'acceptabilité quelle qu'elle soit) montre que les hommes, ceux qui ont une formation universitaire et les ouvriers ont une plus grande probabilité d'avoir une opinion quant à leur niveau d'acceptabilité des nanotechnologies. À l'inverse, ceux qui ne connaissent pas le niveau de risque associé aux nanotechnologies et ceux qui n'ont pas d'opinion sur la confiance qu'ils accordent au gouvernement pour leur gestion ont une plus grande probabilité de ne pas savoir s'ils sont favorables ou non à l'utilisation des nanotechnologies.

De la même manière, 20,4 % des Québécois ne savent pas s'ils sont favorables ou non à l'utilisation de la génomique dans la santé. Une analyse de type probit (1 = ne sais pas s'il est favorable ou opposé, 0 = a une opinion quant à l'acceptabilité quelle qu'elle soit) montre que les répondants âgés entre 35 et 54 ans, ceux qui ne connaissent pas le niveau de risque associé à la génomique et ceux qui n'ont pas d'opinion sur la confiance qu'ils accordent au gouvernement pour sa gestion ont une plus grande probabilité d'avoir coché « ne sais pas » à la question leur demandant leur niveau d'acceptabilité quant à l'utilisation de la génomique dans la santé.

Par contre, pour la consommation d'aliments contenant des OGM, 32 % des Québécois y sont complètement opposés. Une analyse économétrique de type probit (1 = moyennement ou complètement opposé, 0 = favorable ou moyennement favorable) montre que les francophones et les travailleurs des sciences ont une plus grande probabilité d'être opposés à la consommation d'aliments contenant des OGM. À l'inverse, les hommes, ceux qui perçoivent un risque faible pour les OGM et ceux qui ont une grande confiance ou une confiance moyenne dans le gouvernement pour leur gestion, ont une plus grande probabilité d'être favorables à la consommation d'aliments contenant des OGM.

Qui sont les Québécois qui ne connaissent pas le niveau de risque relié aux nanotechnologies, à l'utilisation de la génomique dans la santé et à la consommation d'OGM et qui n'ont aucune opinion sur la confiance qu'ils accordent au gouvernement pour gérer ces projets/enjeux? Les femmes sont significativement plus nombreuses que les hommes à ne pas connaître le niveau de risque associé à ces risques émergents et à ne pas avoir d'opinion sur la confiance dans le gouvernement pour leur gestion. Ceux qui n'ont pas voulu révéler leur revenu total familial sont significativement plus nombreux que ceux qui ont révélé un revenu entre 40 000 et 80 000 $ à ne pas avoir d'opinion sur la confiance dans le gouvernement pour la génomique et les OGM. Les Québécois avec une formation de niveau secondaire sont significativement plus nombreux que les Québécois avec une formation universitaire à ne pas avoir d'opinion sur la confiance dans le gouvernement pour tous les risques émergents. Ils sont également significativement plus nombreux à ne pas connaître le risque associé aux nanotechnologies. Les francophones sont significativement moins nombreux à ne pas avoir d'opinion sur la confiance dans le gouvernement (en d'autres termes, ils ont plus souvent une opinion, quelle qu'elle soit) pour la génomique et les OGM. Ils sont aussi moins nombreux à ne pas connaître le risque associé à la génomique et aux nanotechnologies.

Des régressions de type probit (1 = aucune opinion sur la confiance dans le gouvernement, 0 = a une opinion sur la confiance peu importe laquelle ou 1 = ne connait pas le niveau de risque, 0 = a coté un niveau de risque, peu importe lequel) corroborent certains de ces résultats et apportent un éclairage supplémentaire, surtout en ce qui a trait à l'influence des sources d'information. En particulier, il est mis en évidence que ceux qui n'ont pas d'opinion sur la confiance dans le gouvernement pour les nanotechnologies et respectivement pour la génomique ont une plus grande probabilité de ne pas connaître le risque associé à ces nouvelles technologies respectives. Les francophones ont une plus grande probabilité que les anglophones de connaître le niveau de risque relié aux nanotechnologies ou à la génomique. Les femmes ont une plus grande probabilité de ne pas avoir d'opinion sur la confiance dans le gouvernement pour l'ensemble de ces risques émergents. Ceux qui connaissent le BAPE ont une plus grande probabilité d'avoir une opinion sur la confiance dans le gouvernement pour les nanotechnologies et les OGM. Les sources d'information ont une grande influence sur la capacité des Québécois à se forger une opinion sur leur confiance dans le gouvernement. Ainsi, ceux qui utilisent beaucoup les réseaux sociaux ont une plus grande probabilité d'avoir une opinion (quelle qu'elle soit) sur la confiance dans le gouvernement pour la génomique et les OGM. De la même façon, et ce, pour tous les risques émergents, ceux qui font plutôt ou tout à fait confiance aux sites web ont une plus grande probabilité d'avoir une opinion sur la confiance dans le gouvernement.

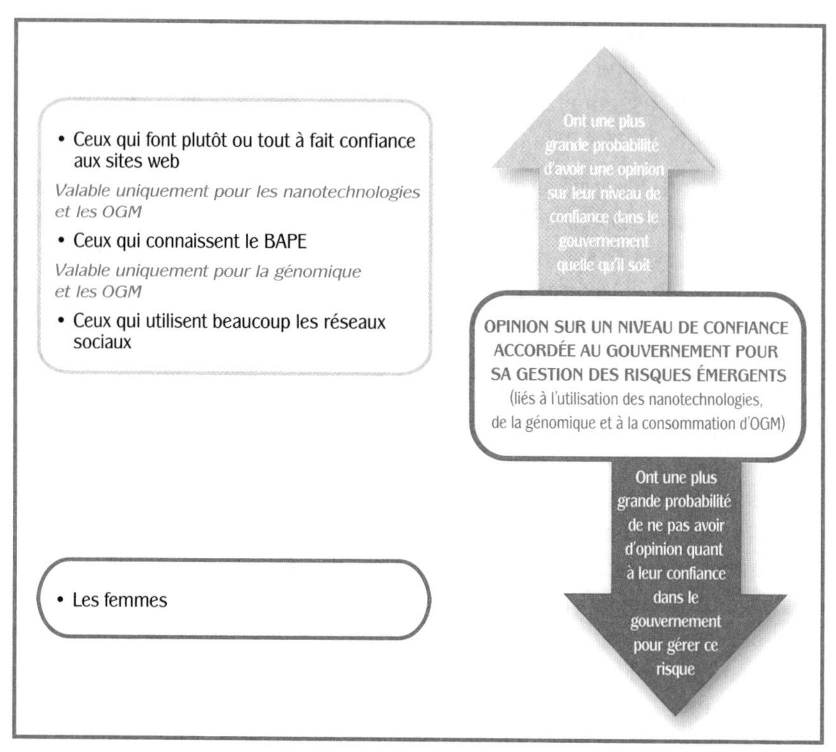

Figure 12 Résultats de l'analyse de type probit ordonné sur le fait d'avoir une opinion (quelle qu'elle soit) sur un niveau de confiance dans le gouvernement pour sa gestion des risques émergents (liés à l'utilisation des nanotechnologies, de la génomique et à la consommation d'OGM)

CONCLUSION ET PERSPECTIVES FUTURES

L'objectif de cet ouvrage était de présenter les résultats du Baromètre CIRANO 2012 concernant la perception des risques au Québec.

Nous souhaitions identifier les préoccupations des Québécois mais aussi les facteurs qui influencent le niveau de perception des risques associés aux grands projets et enjeux du Québec et mesurer le niveau de confiance que les Québécois accordent aux autorités compétentes quant à leur gestion. Nous avons effectué une revue de la littérature et des études faites sur le sujet et pertinentes pour notre analyse puis nous avons réalisé une enquête par questionnaire auprès de la population québécoise. Nous avons découpé notre étude en fonction du type de décision publique qu'elle soit reliée à des grands projets d'infrastructures ou de nouvelles industries, à l'environnement, à l'économie ou à la santé. Avec le large spectre de décisions et de risques associés que nous avons abordé et la richesse des données qui ont été collectées, notre étude constitue une précieuse source d'information pour les décideurs politiques, les gestionnaires de grands projets, les entreprises et la population. Nous reprenons ici les principaux résultats de l'enquête.

Les catégories de risques les plus préoccupantes pour les Québécois

Les risques reliés au système de santé (*ex. : infections dans les hôpitaux, engorgement des urgences, listes d'attente...*) et les risques économiques et financiers (*ex.* : coût de la vie, prix de l'essence, crise du logement, chômage, retraite...) sont largement en tête des préoccupations des Québécois. En effet, environ 50 % des Québécois se disent préoccupés par ces deux aspects. Viennent ensuite les risques environnementaux (22,5 %) (*ex. : pollution atmosphérique, pollution des lacs (algues bleues), changement climatique, exploitation gazière et minière)* et les risques reliés à la santé publique (18 %) (*ex. : dépendances au tabac, drogue, obésité, malbouffe, vaccination*).

Les enjeux/projets du Québec perçus comme les plus risqués par la population

L'engorgement des urgences dans les hôpitaux, la difficulté d'accéder aux services de santé), l'état des ponts et viaducs, et la hausse du coût de la vie sont les projets/enjeux perçus comme les plus risqués. Les projets/enjeux fortement médiatisés au Québec au printemps 2011 sont également perçus comme ayant des niveaux de risque grands ou très grands (par exemple, 57 % des répondants estiment le risque de l'exploration pour du gaz de schiste comme étant grand ou très grand). Les risques émergents reliés aux innovations technologiques sont perçus comme moins élevés (par exemple pour les nanotechnologies, seulement 12 % perçoivent un risque grand ou très grand et pour la génomique c'est 19 %).

Pour certains projets/enjeux, plus de 10 % de la population a répondu ne pas connaître le niveau de risque. Il s'agit de l'utilisation des nanotechnologies (31 % affirme ne pas connaître le niveau de risque), l'utilisation de la génétique dans la santé (14 %) et enfin l'exploration pour du gaz de schiste (12 %). D'après nos analyses statistiques, les hommes, les répondants ayant suivi une formation universitaire et ceux utilisant beaucoup les sites web comme source d'information ont une plus grande probabilité de connaître le niveau de risque relatif au gaz de schiste. De plus, les francophones ont une plus grande probabilité que les anglophones de connaître le niveau de risque associé à ces projets.

Le niveau de confiance accordée par les Québécois dans la gestion des grands enjeux/projets par le gouvernement

Malgré les polémiques qui ont surgi au Québec en 2009-2010 lors de la campagne de vaccination contre la grippe A (H1N1), le gouvernement suscite la confiance concernant la vaccination. Pour les autres enjeux de santé publique *(problèmes de santé reliés à l'obésité, au tabac, contamination des aliments, etc.)* les répondants font en général relativement confiance au gouvernement. Le gouvernement suscite également la confiance pour sa gestion de l'installation de parcs d'éoliennes. Mais pour la plupart des autres projets/enjeux, le niveau de confiance des Québécois reste faible, voire très faible.

En effet, de façon encore plus marquée que pour le niveau de risque perçu, on constate que les projets hautement médiatisés se retrouvent en tête des projets pour lesquels la confiance dans le gouvernement est la plus faible. Certains sont des sujets récurrents et épineux dans les nouvelles depuis plusieurs années : il s'agit entre autres de la problématique de l'engorgement des urgences dans les hôpitaux (74 % des Québécois affirment n'avoir pas du tout confiance ou plutôt pas confiance dans sa gestion par le gouvernement), de la difficulté d'accéder aux services de santé (69 % n'ont pas du tout ou plutôt pas confiance). D'autres sont des sujets qui sont hautement médiatisés depuis le printemps 2011 : il s'agit de l'exploration pour du gaz de schiste (67 % n'ont pas du tout ou plutôt pas confiance), de la hausse du coût de la vie (65 %) et de l'état des ponts et viaducs (62 %). Des tests de corrélation ont permis de montrer que pour tous les projets/enjeux à l'étude, plus le niveau de risque perçu augmente, plus le niveau de confiance dans le gouvernement diminue de façon significative.

Plus de 10 % de la population affirme ne pas avoir d'opinion quant à leur confiance dans le gouvernement pour la gestion de certains projets. Par exemple, 29 % affirment ne pas avoir d'opinion sur le niveau de confiance dans le gouvernement pour sa gestion de l'utilisation des nanotechnologies. Les femmes ont une plus grande probabilité de ne pas avoir d'opinion sur la confiance dans le gouvernement pour l'ensemble des risques émergents (constitués par les OGM, la génomique et les nanotechnologies). Par contre, ceux qui connaissent le BAPE ont une plus grande probabilité d'avoir une opinion sur la confiance dans le gouvernement pour les nanotechnologies et les OGM. Le type de sources d'information a une grande influence sur la capacité des Québécois à se forger une opinion sur leur confiance dans le gouvernement. Ainsi, ceux qui utilisent beaucoup les réseaux sociaux ont une plus grande probabilité d'avoir une opinion (quelle qu'elle soit) sur la confiance dans le gouvernement pour la génomique et les OGM. De la même façon, et ce, pour tous les risques émergents, ceux qui font plutôt ou tout à fait confiance aux sites web ont une plus grande probabilité d'avoir une opinion sur la confiance dans le gouvernement.

Les principales variables qui affectent la perception du risque et la confiance dans le gouvernement

Le modèle récursif utilisé fait l'hypothèse que la confiance dans le gouvernement pour la gestion des projets ou enjeux retenus a une influence sur la perception du niveau de risque. Les analyses économétriques réalisées confirment que, de façon assez généralisée, ceux qui ne font pas confiance au gouvernement pour sa gestion d'un projet X ont une plus grande probabilité de percevoir un niveau de risque grand ou très grand pour ce projet.

Généralement, les hommes et ceux qui ont une formation universitaire perçoivent des niveaux de risque plus faibles pour les projets/enjeux/programmes à l'étude. L'âge semble avoir une légère influence sur le niveau de perception des risques. En règle générale, les répondants qui sont dans la catégorie d'âge supérieur à 55 ans ont tendance à percevoir un niveau de risque plus élevé pour les projets/enjeux/programmes à l'étude. Il est intéressant de noter que pour ce qui a trait à la hausse du coût de la vie et les revenus de retraite, ce sont les 35-54 ans qui ont coté un niveau de risque significativement plus élevé.

De manière générale, les hommes et les jeunes (moins de 34 ans) ont une plus grande probabilité d'avoir plutôt ou tout à fait confiance dans le gouvernement pour sa gestion des projets à l'étude. À l'inverse, les travailleurs des sciences et des technologies ont, en règle générale, une plus grande probabilité de faire plutôt pas ou pas du tout confiance au gouvernement.

Les enjeux/projets du Québec perçus comme les moins acceptables par la population

Sur les 15 projets retenus pour ce volet, les Québécois sont plutôt opposés à dix d'entre eux. Près de la moitié de la population québécoise est complètement opposée à l'exploitation d'une centrale nucléaire et à l'exploration pour du gaz de schiste (ce sont d'ailleurs les deux projets que nous avions identifiés comme les moins acceptés socialement au Québec). À l'inverse, près de la moitié des Québécois sont favorables à la vaccination et à l'installation de parc d'éoliennes.

14 % des Québécois n'ont pas émis d'avis quant à l'acceptabilité ou non d'un projet d'exploration pour du gaz de schiste, et ce pourcentage passe à 20,4 % lorsqu'il s'agit de prendre position sur l'acceptabilité de l'utilisation de la génétique/génomique dans la santé, et à 32,6 % lorsqu'il s'agit de l'utilisation des nanotechnologies.

En outre, tous les projets/enjeux auxquels les Québécois sont opposés, excepté les centrales nucléaires, sont également cotés par une perception de risque élevé et un niveau de confiance faible.

L'utilité de comités pour évaluer et faire des recommandations sur les situations à risques au Québec

83,7 % des personnes interrogées sont favorables au développement de comités pluralistes associant des experts scientifiques, provenant des milieux gouvernementaux, municipaux, privés et universitaires dont le but serait d'évaluer et de faire des recommandations sur des situations à risque. En revanche, 44,8 % des Québécois disent ne pas connaître le BAPE (c'est même 74 % des anglophones). Une régression de type probit montre que les jeunes (âgés de 18-34 ans), les personnes mariées et les habitants de la région de Montréal ont une plus grande probabilité de ne pas connaître le BAPE.

À la question de « qui devrait être consulté par le gouvernement dans la gestion des grands projets ou de toutes décisions publiques? », 96 % des répondants ont cité les experts indépendants et 88 % les citoyens ou groupes communautaires. 70 % des répondants disent que le gouvernement devrait consulter les élus locaux, 67 %, les groupes environnementaux et enfin 56 %, les associations industrielles ou sectorielles.

Les sources d'information les plus utilisées par les Québécois

67 % des Québécois utilisent beaucoup ou énormément la télévision et la radio comme source d'information. Cela en fait encore aujourd'hui la source d'information la plus utilisée. Néanmoins, on constate qu'Internet (sites web) ne se retrouve pas loin derrière, alors que 54 % des Québécois l'utilisent beaucoup ou énormément. Ensuite, utilisé grandement par près de 27 % des Québécois, nous avons Internet avec les réseaux sociaux.

Le média auquel les Québécois font le plus confiance est la télévision et la radio (55 % leur font tout à fait ou plutôt confiance). Internet (sites web) recueille également la confiance du public, puisque près de 40 % des Québécois font confiance à ce média. On note que les Québécois ont une moins grande confiance dans les médias sociaux que dans internet en général (sites web). Une régression de type probit ordonné montre que les hommes, les francophones, les répondants avec une formation universitaire, les travailleurs des sciences et des technologies ont une plus grande probabilité d'avoir pas ou peu confiance dans les réseaux sociaux. Par contre, plus le niveau d'utilisation des réseaux sociaux augmente, plus le niveau de confiance pour ce même média augmente, et la corrélation est significative.

D'autres analyses économétriques montrent que l'utilisation de l'Internet (sites Web et médias sociaux) augmente la probabilité de coter plus élevé le niveau de risque et influence le niveau de confiance que l'on accorde au gouvernement pour gérer les projets/enjeux retenus.

Conclusion

Grâce à cette étude, nous avons une meilleure idée de ce qui préoccupe les Québécois aujourd'hui. Les conclusions ne surprennent pas, mais il était important de les identifier, d'analyser les raisons et les facteurs qui peuvent expliquer le niveau de risque perçu.

Il a été montré que les Québécois utilisent les médias en qui ils ont confiance. Toutefois, les Québécois ont une très grande confiance dans les experts, et pourtant les utilisent peu comme source d'information. On peut donc penser qu'il s'agit ici davantage d'une question de disponibilité plutôt que de choix réel d'un type de source d'information fait par la population. Il nous semblerait alors important d'impliquer davantage les experts dans les différents médias. En outre, cette enquête a permis de montrer le haut taux d'utilisation d'Internet et plus particulièrement des médias sociaux ainsi que la confiance que la population leur accordait en tant que source d'information. Ces nouveaux médias en diffusant l'information rapidement, en temps réel et à un grand nombre de personnes en même temps influencent la perception et contribuent à la formation des opinions.

Ainsi, la communication sur les risques doit être adaptée à ce nouvel environnement mais aussi à la manière dont la population perçoit les risques. Le rôle de l'information est crucial, mais la crédibilité de la source d'information doit également être prise en compte. Les résultats de l'enquête montrent que les Québécois veulent être associés à la gestion des projets et enjeux qui les préoccupent. La mise en place de comités pluralistes pour évaluer les risques figure ainsi en bonne place parmi les propositions plébiscitées. Dans le contexte actuel, le dialogue avec la population Québécoise est plus que jamais indispensable. Son développement sera-t-il suffisant pour contribuer efficacement à faire remonter le niveau de confiance dans la gestion des projets et enjeux à risque par le gouvernement ? Les résultats des éditions futures de cette enquête permettront de répondre à cette question !

La recherche que nous avons menée peut ouvrir la voie à des perspectives de développement très variées. Il parait ainsi important de savoir comment les décideurs, les gestionnaires de grands projets, les entreprises tiennent compte des préoccupations de la population dans la prise de décision et dans le développement des projets ainsi que dans le processus de communication associé.

BIBLIOGRAPHIE

Banque Royale. (2011). Indice RBC des perspectives de consommation au Canada, Consulté le 22 juillet 2011, tiré de http://www.rbc.com/nouvelles/pdf/0720-pcc-charts.pdf

Breysse, D. (2009). *Chapitre 2 : Historique, vocabulaire, perception.* Consulté le 22 septembre 2011, tiré de http://www.unit.eu/cours/cyberrisques/etage_1/res/Polycopie_etage_1.pdf.

Castonguay, J., Lareau, D., & Aubert, B. A. (2007). *Guide pratique pour l'identification et la gestion des enjeux sociopolitiques* Rapport de projet CIRANO - 2007RP-13.

Cohen, J. (1988). *Statistical power analysis for the behavioral sciences (2nd ed.).* NJ : Lawrence Erlbaum Publishers.

Commission Européenne. (2012). *Opinion Publique* Site du secteur Analyse de l'opinion publique de la Commission européenne. Consulté le 10 janvier 2012, tiré de http://ec.europa.eu/public_opinion/topics_fr.htm.

Debia, M., & Zayed, J. (2003). Les enjeux relatifs à la perception et à la communication dans le cadre de la gestion des risques sur la santé publique. *VertigO - la revue électronique en sciences de l'environnement, 4*(1), (En ligne), mis en ligne le 01 mai 2003. URL : http://vertigo.revues.org/4700. Consulté le 2018 avril 2011.

Durand, C. (2002). Méthodes de sondage - SOL3017 *Note de cours, 2e partie, Département de sociologie, Université de Montréal,* Consulté le 5 août 2011, tiré de http://www.scribd.com/doc/26189556/Methodes-de-Sondage-SOL3017

Fischhoff, B., P. Slovic, S. Lichtenstein, S. Read, & B. Combs. (1978). How safe is safe enough? A psychometric study of attitudes towards technological risks and benefits. *Policy Sciences, 8,* 127-152.

Guttmann, A., Schull, M. J., Vermeulen, M. J., & Stukel, T. A. (2011). Association between waiting times and short term mortality and hospital admission after departure from emergency department : population based cohort study from Ontario, Canada. *BMJ, 342.*

Hergon, E., G. Moutel, L. Bellier, C. Hervé, & Rouger, P. (2004). Les facteurs de perception et d'acceptabilité du risque : un apport pour la connaissance des représentations du risque transfusionnel. *Transfusion clinique et biologique, 11*(3), 130-137.

Influence Communication. (2010). État de la nouvelle : Bilan 2010 Québec.

INSPQ. (2003). *Cadre de référence en gestion des risques pour la santé dans le réseau québécois de la santé publique* : Institut national de santé publique du Québec. Consulté le 28 septembre 2011, tiré de http://www.inspq.qc.ca/pdf/publications/163_CadreReference GestionRisques.pdf

Jegen, M. (2008). *L'acceptation sociale des projets éoliens au Québec* UQAM - Rapport de recherche mandaté par Ressources naturelles Canada.

Kasperson, R. E., Renn, O., Slovic, P., Brown, H. S., Emel, J., Goble, R., *et al.* (1988). The social amplification of risk : a conceptual framework. *Risk Analysis, 8*(2), 177-185.

Kouabenan, D. R. (2000). Décision, perception du risque et sécurité. In J. L. Bernaud & C. Lemoine, (Éds.), *Traité de psychologie du Travail et des Organisations* (pp. 279-321). Paris : Dunod.

Kouabenan, D. R., Cadet, B., Hermand, D., & Munoz-Sastre, M. T. M. (2006). *Psychologie du risque : Identifier, évaluer, prévenir* : De Boeck.

Krewski, D., L. Lemyre, M.C. Turner, J.E. C. Lee, C. Dallaire, L. Bouchard, *et al.* (2006). Public Perception of Population Health Risks in Canada : Health Hazards and Sources of Information. *Human and Ecological Risk Assessment, 12,* 626-644.

Lareau, D., Castonguay, J., Miller, R., & Roy, L. (2006). *La gouvernance des grands projets d'infrastructure publique - La gestion des enjeux sociopolitiques* : Rapport de projet CIRANO - 2006-RP18.

Lemyre, L., J. E.C. Lee, P. Mercier, L. Bouchard, & D. Krewski. (2006). The structure of Canadians' health risk perceptions : Environmental, therapeutic and social health risks. *Health, Risk & Society, 8*(2), 185-195.

Lowrance, W. (1976). *Of Acceptable Risk : Science and the Determination of Safety.* Los Altos, CA. : W. Kaufmann Co.

Magnussen, O. M. (2004). *Comparative Analysis of Cost Estimates of Major Public Investmnet Projects. The Concept Program* : The Norwegian University of Science and Technology, Norway.

Marchetti, N. (2005). *Les conflits de localisation : le syndrome NIMBY* Rapports Bourgogne : CIRANO. Rapport Bourgogne CIRANO, 2005RB-05, Consulté le 13 octobre 2011, tiré de http://www.cirano.qc.ca/pdf/publication/2005RB-05.pdf

Meur-Férec, C. (2006). *De la dynamique naturelle à la gestion intégrée de l'espace littoral : un itinéraire de géographe* (Mémoire en vue de l'Habilitation à Diriger des Recherches (HDR), Université de Nantes).

Pennanguer, S. (2005). *Incertitude et concertation dans la gestion de la zone côtière* (Thèse de doctorat, Université de Rennes, Rennes).

Rohrmann, B. (2006). *Cross-cultural comparison of risk perceptions : research, results, relevance.* Paper presented at the ACERA/SRA Conference, Melbourne/ Australia.

Siegrist, M., & Visschers, V. (2011). How the accident at Fukushima affected the public's perception of nuclear power : Results of a longitudinal survey. *Society For Risk Analysis Annual Meeting 2011 Charleston, SC, 6-9 décembre 2011.*

Sjöberg, L. (1998). World Views, Political Attitudes and Risk Perception *Risk : Health, Safety & Environment, Spring 1998,* 137-152.

Sjöberg, L. (2001). Political decisions and public risk perception. *Reliability engineering and system safety, 72,* 115-123.

Slovic, P. (1987). Perception of Risk. *Science, 236,* 280-286.

Slovic, P., Fischhoff, B., & Lichtenstein, S. (1982). Why study risk perception? *Risk Analysis, 3,* 83-93.

Tversky, A., & Kahneman, D. (1981). The framing of decisions and the psychology of choice. *Science, 211,* 453-458.

ANNEXES

Modalités de réalisation de l'enquête

Le questionnaire développé est le premier de ce genre au Québec. Il est innovant de par son format, les projets/enjeux évalués, le nombre et la qualité des réponses obtenues.

Le questionnaire comporte cinq sections différentes et dix questions au total. La section A du questionnaire a été élaborée afin d'estimer les préoccupations des Québécois et de classer certains projets/enjeux/programmes spécifiques au Québec en mesurant la perception des Québécois sur le niveau de risque de ces projets ainsi que leur niveau d'acceptabilité sociale. Ensuite, la section B du questionnaire vise à évaluer la confiance des Québécois dans la gestion gouvernementale de projets et d'enjeux spécifiques au Québec. Une troisième section, la section C, permet de mesurer les réactions des Québécois vis-à-vis de projets ou de décisions publiques précises. La section D traite de la connaissance et de l'utilité des structures pluralistes de gestion des risques des grands projets publics. Finalement, la dernière section, section E, évalue les sources consultées par les Québécois pour s'informer sur ces risques et leur niveau de confiance en ces sources.

Nous avons choisi de classifier les risques par catégories (voir tableau ci-dessous) afin de maximiser le nombre de risques potentiellement étudiables. Les catégories choisies sont exhaustives en ce sens qu'elles englobent, telles que le définit notre problématique de recherche, les risques reliés aux grands projets de construction, au développement de nouvelles industries ou industries à risque, à la gestion de la santé des Québécois, à l'économie et aux décisions reliées à la gestion environnementale.

Élaboration du questionnaire

Choix des catégories de risques retenues

Risques naturels (ex. : glissement de terrain, inondation, séisme, incendies de forêt, canicule. . . .)
Risques environnementaux et ressources énergétiques (ex. : pollution atmosphérique, pollution des lacs (algues bleues), changement climatique, exploitation gazière et minière. . .)
Risques technologiques ((ex. : usine chimique, centrale nucléaire, transport de matières dangereuses, enfouissement des déchets, lignes à haute tension...)
Risques reliés aux innovations technologiques ((ex : OGM, nanotechnologies, génomique, virus informatique, vol d'identité....)
Risques reliés à la santé publique ((ex. : dépendances au tabac, drogue, obésité, malbouffe, vaccination. . .)
Risques reliés au système de santé (ex. : infections dans les hôpitaux, engorgement des urgences, listes d'attente. . .)
Risques reliés à la sécurité ((ex. : vol, gang de rue, crime, attentat terroriste. . .)
Risques économiques et financiers ((ex. : coût de la vie, prix de l'essence, crise du logement, chômage, retraite. . .)
Risques reliés aux infrastructures de transport ((ex. : vieillissement des ponts/viaducs et routes, vieillissement du métro. . .)
Risques reliés à la gestion des projets publics ((ex : partenariat public-privé, corruption. . .)

Tableau 14 Catégories de risques retenues

Plusieurs études sur la perception des risques, particulièrement les études psychométriques incluent les risques individuels tels que conduire une voiture, faire du ski, etc. (Lemyre, J. E.C. Lee, P. Mercier, L. Bouchard, & D. Krewski, 2006; Rohrmann, 2006; Slovic, 1987; Slovic, *et al.*, 1982). Cependant, nous avons décidé de concentrer nos efforts sur les risques reliés à la gestion de grands projets ou à des enjeux pour lesquels le gouvernement a ou pourrait avoir un impact sur leur gestion.

Projets/enjeux retenus

Les inondations	Les infections dans les hôpitaux
Le chômage	L'utilisation de produits chimiques par les industries
La pollution de l'eau	L'exploration pour du pétrole dans le Golfe du St-Laurent
La contamination des aliments par les bactéries ou autres microbes	L'utilisation des nanotechnologies
L'exploitation d'une centrale nucléaire	Les projets en partenariat public-privé
La consommation d'aliments contenant des OGM (Organismes Génétiquement Modifiés)	L'utilisation des engrais/pesticides
Les problèmes de santé liés au tabac et à l'obésité	La difficulté d'accéder aux services de santé
L'utilisation de la génétique/génomique dans la santé	L'exploitation des forêts
L'exploitation des mines d'amiante	Le transport de matières dangereuses
La canicule	Les sites d'enfouissement de déchets domestiques
Les revenus de retraite	L'engorgement des urgences dans les hôpitaux
La pollution de l'air	L'exploration pour du gaz de schiste
La vaccination	L'installation de parc d'éoliennes
L'état des ponts et viaducs	L'utilisation des radiographies médicales
La hausse du coût de la vie	Les glissements de terrain

Tableau 15 Projets et enjeux retenus

Le choix des projets/enjeux a été fait en recensant près d'une vingtaine d'études pour déterminer les risques les plus analysés à des fins comparatives.

En plus des risques très étudiés dans d'autres enquêtes, nous avons décidé d'ajouter des enjeux spécifiques et pertinents pour le Québec (ex. : état des ponts et viaducs, exploitations des mines d'amiante) et des enjeux reliés à la gestion dans le secteur public (engorgement dans les urgences). Ces enjeux ont été déterminés après avoir effectué une revue des articles de journaux portant sur l'actualité au Québec. Pour la dernière année, juin 2010 à juin 2011, nous avons analysé plusieurs quotidiens et hebdomadaires. Ce choix nous permet de couvrir un large spectre de positions politiques ainsi que des régions différentes du Québec et encore le lectorat anglophone.

Nous avons également très largement consulté le site internet d'Influence Communication qui réalise chaque semaine un top 5 des actualités en termes de poids médias par semaine au Québec et qui publie chaque année un bilan sur l'état de la nouvelle au Québec. Nous avons en outre examiné les différents sondages d'ores et déjà effectués au Québec, sondages qui se limitent la plupart du temps à un seul aspect, ce qui ne permet pas les comparaisons.

Les projets/enjeux retenus se retrouvent tout au long du questionnaire. Cette continuité tout au long du questionnaire nous a permis d'évaluer et de comparer ces projets et enjeux à plusieurs égards à savoir, le niveau de préoccupation, le niveau de risque perçu, l'acceptabilité[16], et la confiance dans la gestion par le gouvernement.

Ordre aléatoire de projets/enjeux

Chaque projet/enjeu étudié est lié à une des grandes catégories citées précédemment, ce qui permet une analyse statistique croisée plus enrichie. Nous avons choisi de présenter les risques dans un ordre aléatoire au lieu de les regrouper en grandes catégories pour assurer que les répondants les comparent les uns aux autres sans biais de catégories. Cet ajustement a été fait à la suite d'un pré-test, pendant lequel nous avions constaté un biais de réponse lorsqu'on faisait apparaitre les enjeux et projets par grandes catégories.

Échelle de réponse

Pour la plupart des questions, nous avons opté pour une échelle de Likert à 5 points afin d'apporter plus de précision et augmenter les choix de réponse tout en évitant d'avoir toujours des réponses au centre. Nous avons laissé une option « ne connais pas le niveau de risque » ou « aucune opinion » pour ceux qui ne se sentaient pas assez bien informés pour évaluer le niveau de risque ou le niveau de confiance.

---

16. Il existe néanmoins une exception à la liste complète des projets/enjeux dans la question sur le niveau d'acceptabilité (qui se base sur la différence entre la quantification des risques et des bénéfices). En effet, pour cette question, nous avons uniquement considéré les enjeux pour lesquels, les répondants peuvent mesurer (ou qualifier) à la fois un risque et un bénéfice. En effet, il est impossible d'évaluer les bénéfices d'un événement négatif (ex. : problèmes de santé liés au tabac et à l'obésité). Si l'on prend l'exemple de la vaccination, le répondant devra mettre en parallèle les bénéfices à la fois pour lui et pour la société (disparition de maladies graves, immunisation, etc.), avec les risques reliés au vaccin (effets indésirables pouvant aller jusqu'au décès).

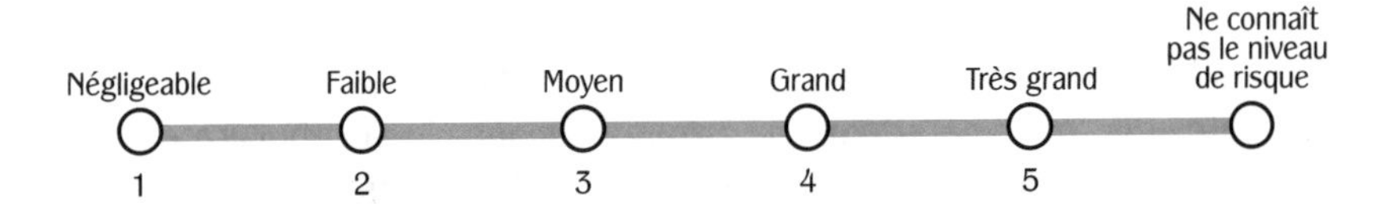

Choix des sources d'information

Nous avons choisi différentes sources d'information (médias, gouvernement, groupes indépendants), en tenant compte des nouvelles sources d'information (internet, avec une distinction entre les sites Web et les réseaux sociaux) et des sources d'information plus individuelles et personnelles (amis et famille).

Ainsi, nous pourrons faire la distinction entre le média et la personne en tant que source d'information. Cette liste n'est certes pas exhaustive, mais elle couvre l'ensemble des sources les plus utilisées et est suffisante pour notre étude.

Validation du questionnaire

Le questionnaire a été validé à l'aide d'un processus en plusieurs étapes. En effet, il est essentiel de s'assurer que le questionnaire puisse facilement être compris. Les questions doivent donc être dénuées d'ambigüité, être relativement courtes et ne contenir que des concepts/thèmes couramment utilisés. De plus, le questionnaire doit être d'une longueur raisonnable pour ce type d'exercice. Les questions superflues ou redondantes doivent être évitées. Aussi, il est important de s'assurer que les questions posées ne soient pas trop confidentielles afin que les répondants soient à l'aise avec le projet. Afin d'y parvenir, un processus de validation en plusieurs étapes a été appliqué.

Lors de la première étape, une version préliminaire du questionnaire a été révisée par des fellows et partenaires du CIRANO (avec des expertises variées : sociologie, économie, droit, finance, santé, ingénierie) afin de déterminer sa pertinence et son exhaustivité sur les enjeux québécois en gestion de projets gouvernementaux. Un statisticien a aussi revu les questions afin de déterminer les possibilités d'analyses descriptives et croisées et de vérifier la structure et la cohérence du questionnaire.

Nous avons complété un pré-test[17] auprès de 37 individus, qui ont rempli 32 questionnaires francophones et 5 questionnaires anglophones. Ce pré-test a été utile pour déterminer la compréhension du vocabulaire et des questions, l'ordre des questions, l'utilisation de définitions, et l'inclusion de nouvelles questions.

Un autre pré-test a été réalisé par la firme de sondage retenue pour l'enquête, Léger Marketing. Ce pré-test s'est extrêmement bien déroulé : les questions ont été très bien comprises par les répondants. Sur la base des 34 entrevues réalisées lors du pré-test, le temps moyen requis pour compléter le sondage était de 15 minutes. La durée du questionnaire ne pose donc aucun problème selon les spécialistes.

Finalement, deux autres validations ont été faites de la part de Léger Marketing : une première révision faite par un programmeur, et une seconde, une révision linguistique, réalisée par un professionnel pour la langue et la compréhension des questions.

Collecte des données

La population a été interrogée par internet du 22 au 27 juin 2011 par l'Institut de sondage Léger Marketing. Au total, 1130 personnes sélectionnées selon la méthode des quotas et des strates ont répondu. La répartition du recensement des âges, des sexes, des régions, de la langue et de la scolarité a été respectée dans l'échantillon. La durée moyenne des entrevues a été de 15 min 43 secondes.

1130 questionnaires ont été entièrement complétés et nous ont été remis, après nettoyage de la base de données afin d'y soustraire les répondants qui ont répondu trop rapidement au questionnaire (si le répondant a mis par exemple 5 min à remplir le questionnaire, il ne peut pas l'avoir fait de manière réfléchie) ainsi que les répondants qui ont donné trop souvent les mêmes réponses (ne sait pas par exemple). L'échantillon est de type aléatoire simple stratifié.

17. Un pré-test permet de 1) Vérifier si les questions sont comprises, sont comprises de la même manière par tout le monde (donnent lieu au même type de réponses), sont « productives », donnent lieu à des réponses « riches de sens », donnent lieu à des réponses (peu de « ne sais pas » pour les questions d'opinion) et que les choix de réponses se répartissent de façon appropriée. 2) Vérifier l'ordre des questions. 3) Vérifier la durée du questionnaire. (Durand, 2002)

Nom de la région	Nombre d'envois effectués	% du total envoyé	Nombre total de questionnaires complétés	Questionnaires en anglais		Questionnaires en français		Taux de réponse par région
				Effectif	%	Effectif	%	
Bas-Saint-Laurent	305	2 %	30	0	0 %	30	3 %	10 %
Saguenay–Lac-Saint-Jean	403	3 %	41	1	1 %	39	4 %	10 %
Capitale-Nationale	884	7 %	103	3	2 %	99	10 %	12 %
Mauricie	373	3 %	39	0	0 %	40	4 %	10 %
Estrie	512	4 %	49	4	2 %	41	4 %	10 %
Montréal	3986	31 %	218	74	43 %	209	22 %	5 %
Outaouais	356	3 %	42	18	11 %	32	3 %	12 %
Abitibi-Témiscamingue	221	2 %	23	0	0 %	21	2 %	10 %
Côte-Nord	206	2 %	15	0	0 %	14	1 %	7 %
Nord-du-Québec	6	0 %	0	0	0 %	0	0 %	0 %
Gaspésie–Îles-de-la-Madeleine	130	1 %	12	3	2 %	11	1 %	9 %
Chaudière-Appalaches	675	5 %	53	1	1 %	58	6 %	8 %
Laval	1161	9 %	44	13	8 %	42	4 %	4 %
Lanaudière	552	4 %	69	2	1 %	62	6 %	13 %
Laurentides	465	4 %	67	18	11 %	59	6 %	14 %
Montérégie	1610	13 %	185	33	19 %	170	18 %	11 %
Centre-du-Québec	401	3 %	37	1	1 %	32	3 %	9 %
Province du Québec	416	3 %	103					25 %
TOTAL	12662	100 %	1130	171	100 %	959	100 %	9 %

Tableau 16 Nombre d'envois de questionnaire d'enquête par région et nombre de répondants par région

Le tableau précédent présente le nombre d'envois par région ainsi que le nombre de répondants. Les répondants étaient âgés de 18 ans et plus et provenaient de partout à travers le Québec, dans toutes les régions administratives (de façon proportionnelle). Soulignons que la marge d'erreur pour un sondage de 1000 répondants est de +/-3,1 %.

Description de l'échantillon

La firme de sondage a ajouté des questions au questionnaire initial afin de s'assurer que l'information était entièrement à jour pour les données sociodémographiques. Voici la liste des variables sociodémographiques qui ont été incluses :

(1) Région d'habitation
(2) Sexe
(3) Age
(4) Langue maternelle
(5) Occupation principale actuelle
(6) Revenu total du foyer
(7) Présence d'enfants au sein du foyer
(8) Niveau de scolarité
(9) Origine ethnique
(10) Statut marital

Nous allons présenter ici toutes les statistiques descriptives relatives aux variables sociodémographiques des répondants. Nous montrerons à la fois les chiffres correspondant effectivement à notre échantillon, ainsi que les données pondérées, que nous pourrons comparer lorsque possible avec les valeurs « réelles » de la population du Québec en nous servant des données du plus récent recensement disponible[18] (cela permet de vérifier que notre échantillon est représentatif de la population québécoise).

Essentiellement, la pondération vise à corriger le léger biais que comporte un sondage web en termes d'âge (plus jeunes) et de scolarité (plus scolarisés). Des biais existent, peu importe la méthode d'acquisition de données. En effet, il est intéressant de mentionner que les sondages téléphoniques effectués par Léger Marketing sont également pondérés sur ces même variables puisque ce type de sondage comporte aussi des biais, mais dans l'autre sens (âge : plus vieux), (revenus : plus faibles) et (scolarité : moins élevée).

(1) Région d'habitation

Région administrative	Effectifs	Pourcentage	Pourcentage avec la pondération	Pourcentage réel selon les données du recensement de 2006
BAS-SAINT-LAURENT	32	2,8 %	2,7 %	2,7 %
SAGUENAY/ LAC-SAINT-JEAN	42	3,7 %	3,6 %	3,6 %
QUEBEC	101	8,9 %	9,1 %	8,8 %
MAURICIE	39	3,5 %	3,5 %	3,4 %
ESTRIE	48	4,2 %	3,9 %	4,0 %
MONTREAL	267	23,6 %	25,0 %	24,6 %
OUTAOUAIS	52	4,6 %	4,5 %	4,5 %
ABITIBI/ TEMISCAMINGUE	22	1,9 %	1,8 %	1,9 %
COTE-NORD	15	1,3 %	1,2 %	1,3 %
NORD DU QUÉBEC	0	0,0 %	0,0 %	0,5 %
GASPESIE	15	1,3 %	1,3 %	1,3 %
CHAUDIERE-APPALACHES	61	5,4 %	5,2 %	5,2 %

18. Site internet de l'Institut de la Statistique du Québec, Recensement de 2006, disponible à la page http://www.stat.gouv.qc.ca/regions/lequebec_20/population_20/popmasc20.htm, consulté le 2 août 2011, et Recensement de 2001, disponible à la page http://www.stat.gouv.qc.ca/regions/index_2001.htm, consulté le 2 août 2011.

Région administrative	Effectifs	Pourcentage	Pourcentage avec la pondération	Pourcentage réel selon les données du recensement de 2006
LAVAL	47	4,2 %	4,9 %	4,9 %
LANAUDIERE	67	5,9 %	5,7 %	5,7 %
LAURENTIDES	78	6,9 %	6,8 %	6,8 %
MONTEREGIE	210	18,6 %	18,0 %	18,0 %
CENTRE-DU-QUEBEC	34	3,0 %	2,9 %	3,0 %
Total	1130	100,0 %	100,0 %	100,0 %

Une proportion plus élevée de participants au sondage réside dans la région de Montréal, ce qui est représentatif de la réalité puisqu'il s'agit de la région comptant le plus grand nombre d'habitants au Québec.

Région	Effectifs	Pourcentage
Communauté métropolitaine de Montréal	536	47,4
Communauté métropolitaine de Québec	130	11,5
Autres régions	464	41,1

2) Sexe

Sexe	Effectifs	Pourcentage	Pourcentage avec la pondération	Pourcentage réel selon les données du recensement de 2006
Un homme	597	52,8 %	49,1 %	48,9 %
Une femme	533	47,2 %	50,9 %	51,1 %
Total	1130	100,0 %	100,0 %	100,0 %

Les hommes constituent environ 53 % de l'échantillon non pondéré, ce qui est légèrement supérieur à la représentativité au sein de la population québécoise lors du recensement de 2006[19]. Par contre, après la pondération, les hommes constituent environ 49 % de l'échantillon, ce qui est similaire à la représentativité au sein de la population québécoise lors du recensement de 2006.

(3) Âge

Quel âge avez-vous ?		Effectifs	Pourcentage	Pourcentage valide	Pourcentage avec la pondération	Pourcentage avec la pondération selon tranche d'âge du recensement	Pourcentage réel selon les données du recensement de 2006
Valide	18-24 ans	179	15,8 %	16,0 %	11,1 %	11,10 %	15,1 %[a]
	25-34 ans	128	11,3 %	11,4 %	17,0 %	34,0 %	33,1 %
	35-44 ans	173	15,3 %	15,4 %	17,0 %		
	45-54 ans	204	18,1 %	18,2 %	20,3 %	36,6 %	34,7 %
	55-64 ans	213	18,8 %	19,0 %	16,3 %		
	65 ans ou plus	225	19,9 %	20,1 %	18,2 %	18,2 %	17,2 %
Total		1122	99,3 %	100,0 %	100,0 %	100 %	100,0 %
Manquante	Je préfère ne pas répondre à cette question	8	0,7 %	0,0 %	0,4 %		
Total		1130	100,0 %	0,0 %	0,0 %		

a Notez qu'il s'agit de la tranche d'âge des 15-24 ans dans le recensement

19. Site internet de l'Institut de la Statistique du Québec, Recensement de 2006, disponible à la page http://www.stat.gouv.qc.ca/regions/lequebec_20/population_20/popmasc20.htm, consulté le 16 juillet 2011.

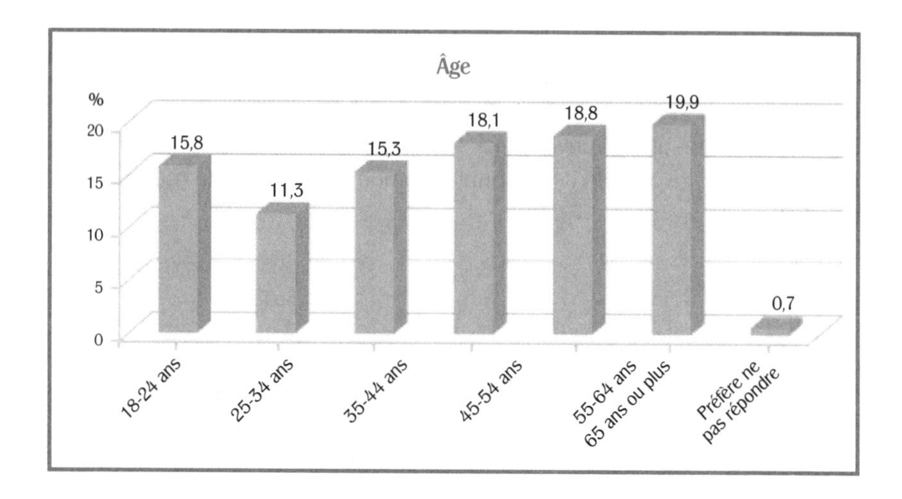

(4) Langue maternelle

Quelle est la langue que vous avez apprise en premier lieu à la maison dans votre enfance et que vous comprenez toujours ?				
	Effectifs	Pourcentage	Pourcentage avec la pondération	Pourcentage réel selon les données du recensement de 2006
Français	989	87,5 %	79,1 %	80,1 %
Anglais	84	7,4 %	12,1 %	7,8 %
Autre	57	5,0 %	8,8 %	12,1 %
Total	1130	100,0 %	100,0 %	100,0 %

87,5 % de nos répondants ont affirmé que le français était leur langue maternelle, ce qui est légèrement supérieur à la réalité (pour laquelle le pourcentage se situe à 80,1 %). En tenant compte de la pondération, environ 80 % des répondants parlent français comme langue maternelle, ce qui correspond à la proportion de personnes qui ont répondu, lors du recensement 2006[20], que le français était leur première langue apprise à la maison dans l'enfance et encore comprise par la personne recensée au moment du recensement.

20. Site internet de l'Institut de la Statistique du Québec, Recensement de 2006, disponible à la page http://www.stat.gouv.qc.ca/regions/lequebec_20/langue_20/materuni20.htm, consulté le 16 juillet 2011.

(5) Occupation actuelle principale

Quelle est votre occupation principale actuelle?		Effectifs	Pourcentage	Pourcentage valide	Pourcentage pondéré	Pourcentage pondéré valide selon les grandes catégories du recensement (estimation)	Pourcentage réel selon les données du recensement de 2006 (estimation)
Valide	Employé de bureau	115	10,2 %	10,4 %	11,3 %		
	Personnel spécialisé dans la vente	35	3,1 %	3,2 %	2,9 %		
	Personnel spécialisé dans les services	66	5,8 %	5,9 %	5,5 %		
	Travailleur manuel	53	4,7 %	4,8 %	5,6 %	45,2 %	56,4 %
	Ouvrier spécialisé/semi-spécialisé	28	2,5 %	2,5 %	2,9 %		
	Travailleur des sciences & technologies	26	2,3 %	2,3 %	2,5 %		
	Professionnel	154	13,6 %	13,9 %	14,6 %		
	Gestionnaire/administrateur/propriétaire	22	1,9 %	2,0 %	3,3 %	3,3 %	7,0 %
	Au foyer	46	4,1 %	4,1 %	3,7 %		
	Étudiant	144	12,7 %	13,0 %	10,2 %	38,0 %	35,1 %
	Retraité	298	26,4 %	26,8 %	24,2 %		
	Sans emploi	45	4,0 %	4,1 %	5,9 %	5,9 %	1,4 %
	Autre	78	6,9 %	7,0 %	7,6 %	7,6 %	0,2 %
Total		1110	98,2 %	100,0 %	100,0 %	100,0 %	100,0 %
Manquante	Je préfère ne pas répondre	20	1,8 %	0,0 %	0,0 %		
Total		1130	100,0 %	0,0 %	0,0 %		

Sur la base des informations recueillies, il semble qu'il y ait plus de personnes sans emploi et d'étudiants parmi les participants à l'enquête que dans la population du Québec (selon le recensement).

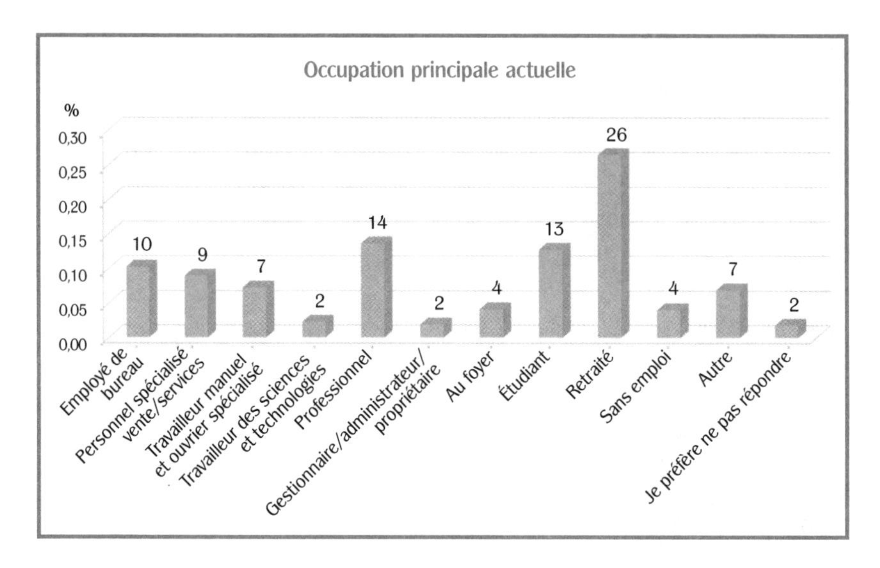

(6) Revenu

Parmi les catégories suivantes, laquelle reflète le mieux le REVENU total avant impôt de tous les membres de votre foyer pour l'année 2010?

	Effectifs	Pourcentage	Pourcentage valide	Pourcentage avec la pondération	Pourcentage réel selon les données du recensement de 2001
19 999$ et moins	137	12,1	13,1	14,8	11,8
entre 20 000$ et 39 999$	227	20,1	21,7	23,8	25,2
entre 40 000$ et 59 999$	232	20,5	22,2	24,3	23,6
entre 60 000$ et 79 999$	184	16,3	17,6	15,6	17,2
entre 80 000$ et 99 999$	112	9,9	10,7	8,7	22,1
100 000$ et plus	153	13,5	14,6	12,8	
Total	1045	92,5	100,0	100,0	100,0
Je préfère ne pas répondre	85	7,5			
	1130	100,0			

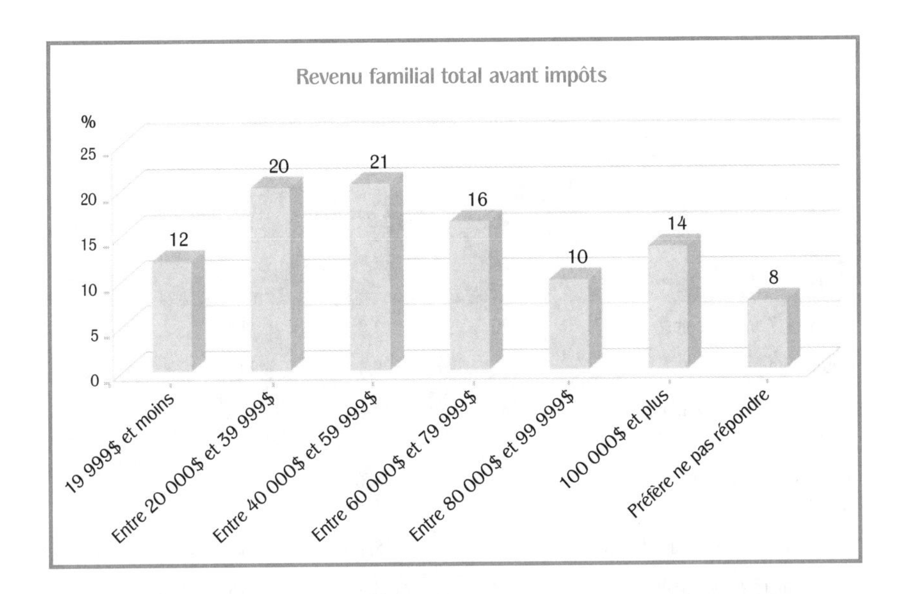

Près de 60 % des répondants ont un revenu familial total annuel brut de 40 000 $ et plus, ce qui reflète les plus récentes données accessibles du recensement de 2001 (les données du recensement de 2006 publiques ne font pas mention du revenu). Lorsque l'on entre plus dans le détail, on s'aperçoit que les revenus élevés (80 000 $ et plus) sont quelque peu surévalués et les revenus plus faibles (entre 20 000 $ et 40 000 $) sont légèrement sous-évalués. Il est à préciser que 7,5 % des répondants se sont abstenus de répondre à cette question.

(7) Enfants au sein du foyer

	Effectifs	Pourcentage	Pourcentage avec la pondération	Pourcentage réel selon les données du recensement de 2006 (sans spécification par contre de la mention»moins de 18 ans»)
Non	506	44,8	66,2	40,2
Oui	624	55,2	33,8	59,8
Total	1130	100,0	100,0	100,0

(8) Niveau de scolarité

Dernière année de scolarité que vous avez terminée				
	Effectifs	Pourcentage	Pourcentage valide	Pourcentage avec la pondération
Primaire (7 ans ou moins)	20	1,8	1,8	2,4
Secondaire	332	29,4	29,5	36,8
Collégial DEC de formation pré-universitaire	385	34,1	34,2	27,5
Universitaire certificats et diplômes	92	8,1	8,2	7,7
Universitaire 1er cycle Baccalauréat	204	18,1	18,1	18,0
Universitaire 2e cycle Maîtrise	78	6,9	6,9	6,4
Universitaire 3e cycle Doctorat	15	1,3	1,3	1,3
Total	1126	99,6	100,0	100,0
Préfère ne pas répondre	4	0,4		
Total	1130	100,0		

Les données du recensement disponibles ne nous permettent pas de faire de comparaison directe avec cette variable sociodémographique, nous présentons donc à titre indicatif les données sur la scolarité du recensement le plus récent disponible (2001).

	Pourcentage réel selon les données du recensement de 2001
Moins qu'un certificat d'études secondaires	31,7
Certificat d'études secondaires	17,1
Formation post-secondaire partielle	8,6
Certificat ou diplôme d'une école de métiers	10,8
Certificat ou diplôme collégial	14,5
Certificat ou diplôme universitaire	17,2

Dans l'échantillon, la proportion de répondants avec une formation de niveau primaire est inférieure à celle de la population québécoise alors que ceux avec une formation de niveau collégial ou universitaire sont surreprésentés;

(9) Origine ethnique

Origine ethnique			
	Effectifs	Pourcentage	Pourcentage valide
Caucasien(ne) (Blanc)	981	86,8	86,8
Amérindien / Première Nation	5	0,4	0,4
Chinois	3	0,3	0,3
Sud Asiatique (Indien, Pakistanais, Sri Lankais, etc.)	2	0,2	0,2
Africain / Afro-Américain (hors Maghreb)	4	0,4	0,4
Latino-Américain	4	0,4	0,4
Sud-Est Asiatique (vietnamien, Cambodgien, Malaysien, etc.)	3	0,3	0,3
Arabe (Moyen Orient, Maghreb)	8	0,7	0,7
Autre	120	10,6	10,6
Total	1130	100,0	100,0

Les données du recensement disponibles ne nous permettent pas de faire de comparaison avec cette variable sociodémographique.

(10) Statut marital

	Effectifs	Pourcentage	Pourcentage valide	Pourcentage avec la pondération	Pourcentage réel selon les données du recensement de 2001
Célibataire ou jamais marié	273	24,2	26,7	31,1	28,3
Marié ou conjointde fait	595	52,7	58,1	51,1	57,3
Divorcé	106	9,4	10,4	12,5	6,3
Séparé	22	1,9	2,1	1,8	1,9
Veuf	28	2,5	2,7	3,4	6,2
Total	1024	90,6	100,0	100,0	100,0
Ne préfère pas répondre	106	9,4			
Total	1130	100,0			

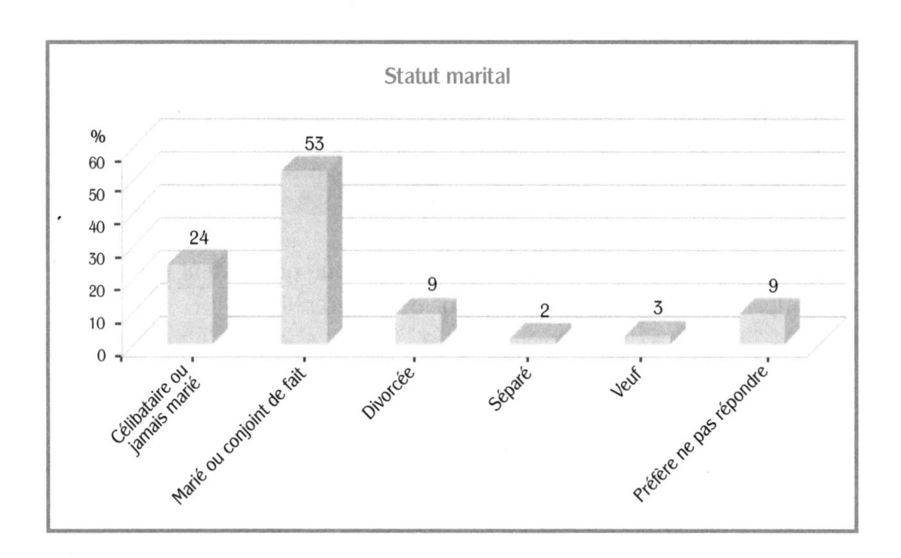